国家出版基金项目
NATIONAL PUBLICATION FOUNDATION

《三联经典文库》

第二辑

2012 年国家出版基金项目

三联经典文库

125

太平洋军事地理

蒋震华 著

生活·讀書·新知 三联书店

图书在版编目(CIP)数据

太平洋军事地理 / 蒋震华著. —— 北京 : 生活·读书·新知三联书店, 2014.1
（三联经典文库第二辑）
ISBN 978-7-108-04650-5

Ⅰ. ①太… Ⅱ. ①蒋… Ⅲ. ①军事地理－亚太地区 Ⅳ. ①E993.3

中国版本图书馆CIP数据核字(2013)第246817号

125 太平洋军事地理

责任编辑　卢　莹
封扉设计　蔡立国
责任印制　李思佳
出版发行　生活·讀書·新知 三联书店
　　　　　(北京市东城区美术馆东街22号)
邮　　编　100010
经　　销　新华书店
印　　刷　北京市松源印刷有限公司
版　　次　2014年1月北京第1版　2014年1月北京第1次印刷
开　　本　787毫米×1092毫米 1/32　印张 11.5
字　　数　161千字
定　　价　42.00元

《三联经典文库》出版缘起

适逢生活·读书·新知三联书店八十华诞，为弘扬传统，接续文脉，回报读者，服务社会，我们决定策划出版《三联经典文库》。

1932 年 7 月，生活书店在上海创办，此后，读书出版社和新知书店相继成立。本文库第一辑、第二辑所选图书，来自于这三家出版单位及其分支机构，以及 1948 年生活·读书·新知三联书店成立后的出版物，始于 1932 年，截至 1951 年，两辑各一百种。此为第二辑，涉及政治、经济、社会、军事、思想文化诸领域，涵盖专著、文集、散文、小说、诗歌、传记、报道等体裁，既有直面现实、追求真理、讴歌真善美、抨击假恶丑的原创作品，又有引介世界各国先进文化、传播新知、开启民智的迻译之作，真实记录了那一代知识分子的思考与探索、理想与愿景和对中华民族文化传承与创新所做出的努力与贡献。

本文库所辑入各书，多为名家名作，在版本方面，以初版一印本或经著译编者审定、修订、增订过的版本为首选，因此本文库又具有较为珍贵的版本价值和收藏价值。

本文库还将编选续辑，使之成为恢弘文化工程。诚挚希望读者给予批评和指正，帮助我们完善编选工作，再现三联经典作品之风采。殊为遗憾的是，由于年代久远，一些原著译编者及其后人未能取得联系并奉付稿酬，诚盼版权所有者与我们联系。祈愿三联前辈所创造的精神财富能薪火相传，为中华文化的伟大复兴增光添彩。

《三联经典文库》编辑委员会

2013 年 8 月

凡　例

一、本文库为重排本，由繁体字竖排版改为简体字横排版。

一、以忠实于原作、整旧如旧为编辑原则，对当时使用的专有名词、外文译名，以及民国时期的语言和特色予以保留。

一、原书注释如旧，编者所出的注释，均以“编者注”标明，以示与原书注释的区别。

一、对原书残缺或字迹漫漶之处，以□示代。

一、对繁简文本转换时的“如右”、“见左”一类，对应改为“如上（前）”、“见下（后）”。

一、对原书中各种错讹脱衍之处，直接订正，不再以其他符号标示。

一、对数字、标点符号的用法，在不损害原文语义的情况下，做必要的规范。

一、本文库各书均前插原书书影、原书版权页和文库版“本书出版说明”。

一、本书出版说明的撰写，以客观中立为原则，扼要介绍本书的内容、版本流转、著译编者的情况。

本书出版说明

欧洲与太平洋，在二十世纪三十年代的国际关系中，是最复杂而且也最重要的两个地域，而太平洋对于中国的关系，尤为密切，因为太平洋上的各强国之间的斗争，直接关乎中国的命运。本书作者参考了大量世界权威的文献及可靠的资料，对太平洋上的各强国军事形势作了详细的分析和研究，让人们能认清美国、日本、英国、荷兰、法国、苏联等强国的国防大势，尤其是美国和日本在太平洋上已经构筑起内中外三道防线，国防力量非常强大；也让国人看清我们自己在太平洋上的国防情势，根本无法构筑起能互相呼应的有效的防线，可以说是软弱无力。本书在当时不但可以作为学校地理课的补充读物和一般研究时事的参考资料，而且对于实际负有决定国防国策责任的大员来说，也只有在深切了解各国的国防情势后，才能对国际政治外交形势作出正确的判断，因此也具有重要的参考价值。

本书由生活书店1939年3月初版，国讯书店1942年1月初版。此次出版即以生活书店1939年3月初版为底本。

作者蒋震华，不详。

生活·读书·新知三联书店

2013年8月

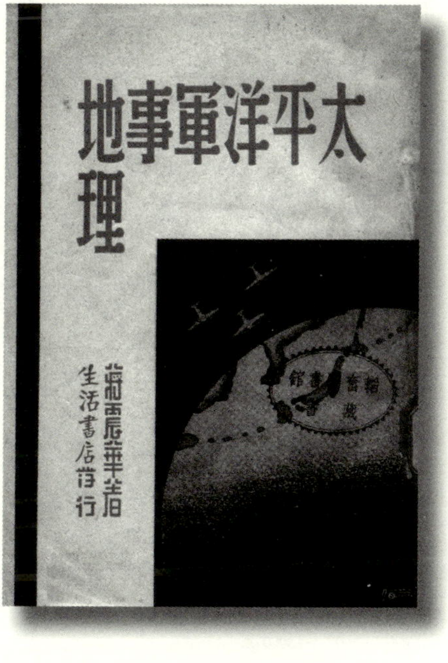

生活书店 1939 年 3 月初版书影

太平洋軍事地理

每冊實價一元七角
外埠酌加寄費

著者 蔣震華

發行人 徐伯昕

發行者 生活書店
重慶 成都 昆明 貴陽 衡陽
桂林 柳州 梧州 南寧 鬱林
曲江 梅縣 南平 立煌 西安
韶州 香港 星洲 赤坎 上海

印刷者 生活印刷所

中華民國二十八年三月初版

P.B 0760 1—3000

原书版权页

目次

第三篇　日本在太平洋上的军事地理

第五篇　荷兰、法国、中国及苏联在太平洋上的军事地理

插图目次

序

在近年来研究和写作关于国际问题的文字的时候，我常常感政治，军事与经济地理知识的重要。这因为，正像历史会告诉我们关于世界纵的一方面的知识，地理则会告诉我们关于世界横的一方面的知识：这是研究时事的两种基本学科，是我们所不能不注意的。大约六七年前，我开始在讨论国际问题的文字中，配合以地图解释，读者似乎很能因此增进研究时事的兴趣。直到现在，接到许多青年朋友来信还是常常提到需要介绍关于研究时事的地图。

这样泛滥着地理知识对于研究时事的重要，目的在于说明我在看到蒋震华先生这本《太平洋军事地理》时的欣喜。因为我们虽然有概述世界一般地理形势的书，而单独把世界上一个极重要的地域，加以军事地理上的仔细研究的，则至今还没有。欧洲与太平洋，是目前国际关系最复杂而重要的两个地域，而太平洋对于我们的关系，尤为密切。“中国问题是太平洋问题的中心”，太平洋上的斗争，是直接地关系着中国的命运的，这样，对于太平洋军事地理的研究，正是当前极重要的一个科目。蒋先生这本著作的值得重视，其原因也在此。

在蒋先生这书中，我们随处可以看到搜集材料的丰富，与编辑整理的细心。这书是可以作为学校地理课上的补充读物与一般研究时事者的基本参考书的。

金仲华

一九三九年十一月一日

自 序

国防与国策，在近代无论任何一个国家，都有着相辅而行的关系。国防与国策间，不但存在着密切联系的关系，而且前者对于后者往往具有一种决定性的作用，成为不可分的一体。所谓国防就是一国对外的战略；所谓国策就是一国对外的政略。战略目的，即政略目的，亦即达到政略目的的一种手段。倘使不把各国对外的战略考虑在内，而单估计到各国对外的政略，其观察不是皮毛，便是肤浅。倘使不识认列强的国防形势，而高谈列强的国策，其结论必等于空中楼阁。那是洞若观火的。

所以精确的国际时事观察者，一面固然要注意及各国的对外政策，一面还应该注意及各国的国防形势。至于实际负决定国策责任的大员，对于有关列强的国防大势，不待说，更是不容忽视了。一位根据国际战略情势，分析国际政治关系的作者比史都(Gregory Bienstock)氏，于其著《太平洋的斗争》(*The struggle for the Pacific*) 一书中，说得好："现代的外交家，对于战略的原则，应有相当的研究，否则决不配称为专门人才的。一国的外交部长，对于国防实况，须先聆取参谋本部的报告，然后方能决定他的对外政策。"当一九一一年德废皇出巡亚加德（Agaider）事件发生的时候，法总理凯劳（Josseph Caillaux）于决定对策以前，特别问霞飞将军说，假定一旦德法开战，法国是否有胜利的把握？霞飞将军当时的答辞是颇为闪烁的；因此凯劳便决定了向柏林谅解的政策，而把第一次欧战迟延了三年。最近自德苏签定《互不侵犯条约》后，德国企图吞并波兰，不惜揭开第二次欧战的序幕，但是当纳粹武力深入波东，直逼华沙的时候，苏联为了巩固西圉国防，以维护她一贯的和平国策，也就不得不进兵波境，占有东部波兰，随着又与爱沙尼亚，及拉脱维亚先后成立互助协定（立陶宛及芬兰还在交涉中），获取建立海空军根据地的权限，奠下波罗的海的安全基石。这都是一国国防积极影响到一国国策的史实。这两件例举的史实告诉了我们：若非深切了解各国的国防情势，我们对于国际政治外交形势，便无从得到正确的判断；同时更告诉了我们：认识列强的国防形势，乃是认识国际政治外交形势的基本知识。笔者叙述太平洋军事地理，便是希望从太平洋国际政治基本知识方面，做一部分的探讨工作。

本书内容有几篇在上海时曾借《东方杂志》的篇幅发表过了；有几篇则是上海沦陷以后，我流亡到广州才着笔的。到了广州，笔者工作于省府参议室，工作的地点是在一座公园里面，那里有参天的榕树和蓬勃的椰榆，点缀着南方可爱的风光，环境特别幽静。这清静的环境，给了我整理和充实稿子的机会，虽然那时我们生活在空袭中。让这稿子纪念着广州惨死于敌机大轰炸屠杀下成千成万无辜的同胞吧！

以下的叙述都系参考世界有权威的文献及新颖可靠的资料。一切关于岛屿湾港，航线交通，战略形势及战术原则的纪述，都经过笔者郑重的考虑和审定，而重要资料的来源并已随章附注，务期不背真相，不厌翔实，不失根据。不过本书从脱稿到付梓，因为辗转于内地的关系，中间经过数月的时间，太平洋战略形势不无若干推移（请参看拙作:《日美在太平洋战略现势的分析》，《世界知识》本年九月号），笔者在重庆虽应编者之命略与修正，但卒以人事的凌扰，而个人又适有香港之行，其他需要增正的地方，那就只有留待再版的机会了。这是我应向读者深表歉意的。

最后我要竭诚致谢一位对本问题有深刻研究的朋友金仲华先生作序。

民国二十八年双十节补序于香港。

第一篇　绪论

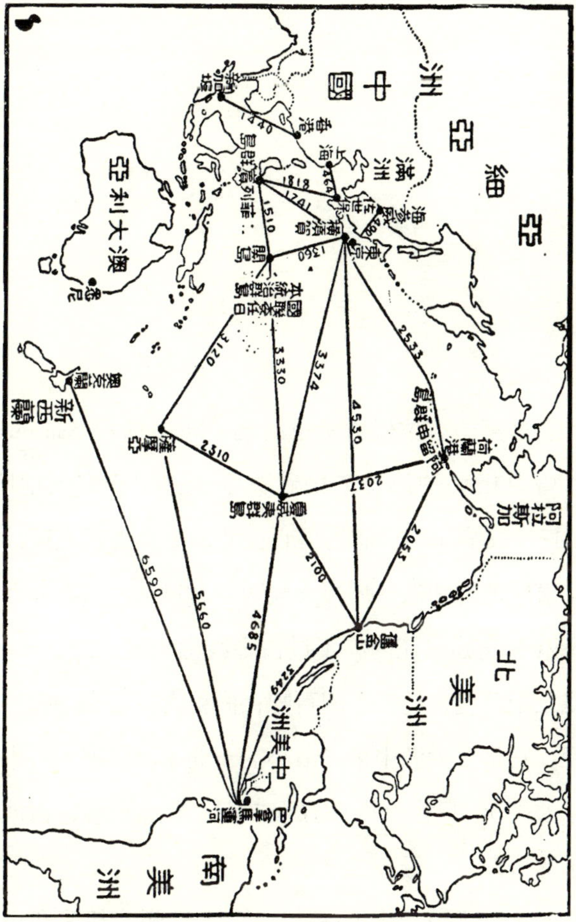

亞細亞洲
中國
滿洲
澳大利亞
新西蘭
阿拉斯加
北美洲
中美洲
南美洲
1440
1818
1741
1510
1360
3120
3330
3374
4530
2533
2310
2037
2053
2100
6590
5660
4685

太平洋军港及交通图

绪　论

一

从前英国有位侯爵赛里斯巴（Marquis of Salisbury）氏，曾以极大的热忱鼓励着英国人去“研究大地图”（Study large maps）。他的用心在使每一个英国人民都能有军事地理的知识。那幅大地图当时只是专指欧洲而言的。欧洲连苏联在内亦不过占经线七十度，约三千哩；纬线三十五度，约二千四百哩；面积为三七五〇〇〇〇方哩。它是五大洲中第二最小的一洲（比澳洲大八十万三千方哩），只占全世界五十二点二分之一弱，占地球很小的一角。

本来太平洋大战的疆场，广大辽阔，却非赛里斯巴氏脑中的大地图所可比拟的了。太平洋大战场，单以日美战争而论，从美国东岸伸至日本西岸，从北极以迄于赤道，至少包括经线百七十度，约绕地球半周，纬线八十二度计五千五百哩。中日战争已经开始了；假定日美之战随远东战争而爆发，则日美两强的战争一定不会不致扩大；从而不但占世界六分一领土的白熊国可能转入大战的漩涡，就是远在西欧的英国也许亦为参战的主角。那么，战场将扩展至日本海、南海、大洋洲，乃至太平洋每一角落。而且太平洋的狂涛或许还波及到印度洋、地中海、大西洋。这是怎样广阔的战场呵！要认识此一大战场所的形势，我们愈应当研究大地图，研究更大的地图，研究“太平洋军事地理”。

二

我们在一般地理文献里面，似乎很少见到“军事地理”的课题。“军事地理”在许多地理爱好者眼光中，也许还是一个比较新鲜的科目。因此，讨论到“太平洋军事地理”以前，对于“军事地理”的意义与内容，是应当与以说明的。

"军事地理"可以从两方面去研究：第一，就地理的眼光研究"军事地理"，出发点是根据地理，即以地理的基本要素，探讨地理对于军事的影响；第二，从军事立场研究"军事地理"，出发点则是基于军事的，即以军事战略的认识，应用到地理方面，分析军事与地理的关系。这研究，在方法上或许有所不同，但本质上，无论如何，其间却有一个共同的前提存在，即共同注意到地理的事实，注意到分析地理的战略意义。所以"军事地理"乃是军事性的地理，乃是属于地理的某一项特殊科目。

三

地理科学的基本常识告诉我们：地理并不是一种简单的学问；它与其他的科学同样复杂，同样需分作各项科目个别加以研究。譬如学化学的，有了化学普通知识以后，进一步还可以去研究工业化学、食物化学，或军事化学。……地理的专门学者，他们有的研究地文，有的又把研究对象侧重于政治、经济或军事诸方面。可是无论地文地理、政治地理、经济地理乃至军事地理，要都属于地理科学的部门，都不出地理范畴以外，那是显而易见。

一般讲来，人生在地球上，怎样知道地球的自然现象，了解空气、海洋及地形，明了动植物的分配状态，这是地文地理（physical geography）所讨论的范围。地球上不仅存在着自然现象，地球上自从有了人的足迹，便还有许多人事现象；社会的组织、国家及政府的分布，都是人事现象最大表现；如何认识这些现象，则属于政治地理讨论的范围。人事现象方面不但是政治的而且还是经济的。各国的资源如何生产如何发展及如何分配和交换；各国的工商业及运输业如何繁荣或衰落；这又属于经济地理所讨论的范围。[1]最后，什么是军事地理所讨论的范围呢？人生就是一种爱好活动的动物，而战争即人类活动最显著状态之一；所以战争给与我们第一个联想便是人口。其次，我们由战争而联想到的为地势及

[1] Roger D.&Sidney. *Geography of the World*，P.1（1）Oehler Wolcott，（2）“地理，是关于地面、地形、地质、自然及政治的区、气候、出产及人口等的科学。”见 *Concise Oxford Dictionary*，P.344。

地形，因为某一战区的地势及地形对于作战直接能发生影响。在战争过程中，最迫切的问题，是军需的接济和运输的便利；从而第三我们就联想到资源与交通。末了，战争还使人联想及气候；有人以为人事间须要机会，那再没有比战争更须要机会，也再没有比气候更能凑合军事机会了。这人口、地势及地形、资源、交通及气候，都是普通地理所具备的要素，把这些要素与军事联系起来，它们便成为“军事地理”所应有的内容。

以上是阐明“军事地理”的意义与应有的内容。弄明白了“军事地理”，而后，“太平洋军事地理”的意义及其应有的内容，我们也就有所明白了。但是为了更深一层的了解，特别为了探究太平洋军事地理的内容，关于前述的五项地理要素，其中每一项对于太平洋军事所发生的直接联系作用，就值得我们进一步详为研讨的。

四

地势及地形——地势及地形是能决定军事的最大因素。地球表面有大陆，有海洋；在陆地有斜面和水平面，在海洋有半岛和岛屿。一个大陆国家的国防，或利用悬崖绝壁构筑要塞，或选择平地险隘建立堡垒；像“马奇诺”（法国的）“德其卡”（苏联的）[1]一类的阵线，便是近代陆军国家最理想的国防建设。而一个岛国（如英日）的国防，除了设置强大海军，还要建筑海上军事根据地，因为有海军而无根据地，威力是无从发挥的。武装形势优秀的岛屿，开辟直布罗陀（Gibraltar）似的根据地，乃是现代海军国家最急迫的国防要求。

在大陆战争的场合，设若双方战场为某处平原，此时如以交战来比下象棋，则机械化部队便等于棋局中横冲直撞的“车”的地位了。但是“车”的运动有时会受到全局形势的控制，同样地，机械化部队若遇到平地间的河川，作用也会受到阻碍的。要是战区为某一带高地，高地多崎岖的山岳和重叠的岗峦，险隘要塞，所在皆是，所谓机械化部队的效用，至此更几等于零。

至于海洋战争，作战的主力为海空军，所以全局重

[1]“德其卡”是苏联在远东区边境建设的碉堡阵地。由于地形关系，它们的形式很多，有方形的，圆形的，六角形的，八角形的，湾曲而钩形的。……亘长而连续的阵形的军事价值被欧战的经验否认了。于是单独的，散形的点线阵形，以最新的姿态出现了。“德其卡”便是这种新阵形的典型建筑物。

心，则完全寄托在海军根据地上面了。我们估量某一国的海军力量，对于某一国的海军根据地是不得不慎重估量的。在相等的海军实力下，谁拥有形势较优越的，武装较雄厚的根据地，海权的锦标一定便属于谁的。

太平洋战略的观察者大都承认：美国西岸离日本太过辽远了。因此合众国强大的海空军对日本似乎将有力而无从发挥。就海军论，现有的头等战斗舰，依燃料上估计，续航力为九千浬，约途中往返各占三分一，运动占三分一，是续航圈充其量不过三千浬。那么，设以旧金山为起点，画一三千浬半径的半圆，日本的横须贺则在此圆外一千五百三十浬；即以夏威夷为中心画一同样半圆，横须贺离此圆亦有三百七十四浬之遥。再论空军，现有空军的活动半径最高限度：轻轰炸机三百粁，重轰炸机七百粁，超轰炸机一千五百粁。所以美国的海空军要说从旧金山飞渡太平洋直捣日本三岛，那就太近乎理想。

可是，美国在太平洋早经建立了许多"踏足石"（Stepping Stone），这些"踏足石"把美日间的距离缩短至一七四一浬，甚至一三六〇浬。这些"踏足石"都为天然要塞，只需设防，充作军事根据地是不成问题的。从而太平洋的美丽长征，有如银幕似的，在一般专家脑海里活跃地一幕幕地反映了出来。可是日本国防的地理条件是极端优越的。日本沿海一带，岛屿屹立，形势天成，国防线严密雄伟，经军事家定评，日本又为一个“不易攻破”的岛国。

五

资源——谁也知道，现代战争，交战国所赌的不仅是人力而且是物力，在缺乏物力的国家，物力比人力尤为感到重要。物力的基本即是资源。战时物力最主要的莫过于飞机、大炮、铁甲车、机枪和弹丸。而它们都不外系铣铁、钢铁、特种钢或非铁金属的制造品。重兵器和钢铁的关系用不着讲了。重兵器不但须要钢铁，而还须要非铁金属，如：炮弹带和导火管即铜制成的，炮弹子即铅（Lead）制成的；弹丸壳和弹身的原料为铜、镍（Nickel）、铅、锑（Antimony），而导火管即以锡和汞（Mercury）做原料的。还有，铝（Aluminium）能制造飞机，镁（Magnesium）能制造照明弹和曳光弹，锌（Zinc）能制造氢气。还有，一切熔炼金属工业、化学工业所最不可缺少的动力则又为石炭及石油。这些铜、铅、锑、锡、汞、镁、锌，以及石炭、石油那一样不是金属及动力资源？所以资源在近代战争中，在广泛而持久的战争中殊占着重心的地位。

世界上的国家没有一个能绝对自给自足，但是有的号称天富之国，有的却是先天不足的贫血者。前者像美国，全国人口不及世界人口百分之六，土地不过世界土地百分之七，而生产额：钢铁占十分之四点五，铅十分之四，亚铅十分之五，镁、铜十分之六，石炭十分之五点二，石油十分之六点六，以及棉花十分之六；后者如日本，在平时每年即需输入百分之六八的化学原料，百分之五七的生铁，百分之七八的锡，百分之五五点一的锌，及百分之百的镍、铝、铅和棉花（日本输入总额的百分比）。[1]欧战之际，德国的权威战略家毛奇将军（Helmuth Johannes Ludwig Von Moltke）曾用警惕的口吻，

[1] Denlinger & Gary：*War in the Pacific*，P.216，Robert M. Mcbride&Co.，New York，1937.

针对德国的弱点说："破坏德国的农业，足以不战而败亡德国。"未来日美战争中，美国要想不战而败日本，战略上也许将厉行封锁政策，截断日本资源的来源。只须这一政策能有效的实施，一年以后[1]，日本便有自行崩溃的可能。

日本的资源若与苏联对照，亦相形见绌。苏联的铁矿蕴藏量占世界第一位，铜、铅矿埋藏量占太平洋第一位；苏联的石炭及石油生产占太平洋第二位，每年不但足以自给而且还有余额可供输出；[2]总之，苏联的重工业系以本国的资源做坚牢的基础。基于日苏两国不同的战略环境，我们可以判断：苏联利于持久作战（当然还有地理的条件在内），为了达到持久的目的，她所采的战略将是防守性的，将注重游击战和消耗战；恰恰相反，日本则利于速战速决，为了急求见功，日本参谋本部所倾向的战术，将是"运动的战术"（A War of

[1] Gregory Bianstock：*The Struggle for the Pacific*，Ch. Ⅲ，Gerge Allen&Unwin Co.1937.

[2] Frederick V. Field：*Economic Handbook of the Pacific area*，P.522，481 第一表，Doubleday，Doran&Co. New York 1934；*World Almanac*，1937，P.532，709. 日本世界景气研究所译：《世界市场战》一三七页，东京丛文阁。

Movement），因为运动战术可能大显摩托化部队的身手。也许战争开始，苏联在消耗敌人以后，还会缩短战线，引敌深入；但倘使战争始终限于日苏两国，则极终的胜利必定属于苏联的。

六

交通——日本运命的关键在资源，她国内的资源是否发生恐慌，则要看日本的海上交通是否安全。如其交通一旦破坏，资源当接着发生恐慌，结果日本的国运即遭受致命的打击；这是百分之百可以肯定的。一点也不夸张，假定美国以较大的海军封锁日本欧洲间的航线，遮断日本远东间、日本澳洲间的往来，于是不仅直接断绝了日本资源的来源，最重要的，因为日本的对外贸易完全停顿，使日本根本就没有购买资源的能力。

在第二次的日苏战争，较之第一次，技术上当然有许多新花样。根据以往经验，日俄间战争的性质是海洋的，同时还是大陆的；控制住海权固然是争取胜利的主要条件，但双方真正胜负的决定则仍然不出陆战的结果。因为如此，日本对俄战争，以前在地理方面颇占优势，即：日本一面握有日本海的海权，一面还操纵了日苏边境一带的交通网。然而，近年来苏联在西伯利亚的修筑双轨铁道，并在贝加尔湖西到滨海省库苏摩尔城建筑一新铁道——B A M 铁道，而且积极增强它远东海上的潜艇力量，就在于消灭这弱点。

七

人口——人口对于军事的关系有两方面：一是战斗员的关系。现代战争不单是将校士兵的战争，而乃是“全民族为保持民族生存的一种战斗”（General Ludendorff：*Der Total Krieg*）。在这一战争中，必需参加每个公民每一壮丁，所以人口影响及军事之重大性，决不像一般过分崇拜武器的人所估量的低微。其次，人口与战争间并不只存在某种直接或间接的战斗员之关系。要晓得，人口由于地理的分布，各个民族中的男女壮丁，除开战斗员任务外，他们随着第二次世界大战之展开，还负有推进民族革命运动的伟大使命。

一般进步的战略论者总以为未来战争的重心在试验室，在工业，在矿山，而人则降至于次要的地位。此一观点，在某种情势下，是很正确的；然而在另一种情势下，却又反证出我们亦不必太过于迷信了物质。日本是最好的例证：据统计，日本人口为七千万，苏联人口一万万七千五百万。人口中的潜兵力，以十八到四十岁的男丁计算，日本约一千一百万，苏联则有二千九百万，后者在人力对比上显占着上风。再据军事家的估计，日本动员可能额约四百三十万人，除了不可少的农工业生产者，日本前线的陆地战士实际约二百万人。目前日本驻军在朝鲜二十五万人，松花江三十五万人，内兴安岭三十五万人及黑龙江上游三十五万人。这样一来，日本侵略中国的兵力充其量不出七十万人。“七七”事变之初，浅薄的日本军事家预定是用三十万的兵力，三个月的时间灭亡中国，但铁的事实把他们的梦想击成粉碎。中国坚强而伟大的抗战，致日本在华所使用的兵力早超过其最高限度的数目。到战争最初的九个月之间，死伤即达二十万七千以上。而且中国大军最近还在徐州的门户台儿庄，把矶谷坂垣的劲旅，包围歼灭了。大部分在日本侵华过程中，已给我们说明了人口对于战争影响的第一方面。

人口对于军事关系的第二方面，要以海上战争表现得特别活跃。笔者过去分析“地中海上的军事形势”曾判断英国在地中海的军事根据地，是大不列颠对意大利争取胜利的条件，同时也是失败的条件。为什么既是胜利而又是失败的条件？这原因很简单，即是那些根据地的形势异常优越，而能决定英国的胜利；但同时因为它们都是殖民地的改装，那里的民族具有强烈的自觉意识，如埃及和巴勒斯坦的民族斗争，在平时，即层出不穷，当英国多事之秋，它们将益为大不列颠的心腹之患。[1]在太平洋的列强，一样有着此种隐忧。她们在太平洋上的根据地泰半不是殖民地便是代管岛，其间有的民族意识激昂。这种意识，在太平洋保持常态的时候，似乎无足轻重，容易被人忽略过去，而当未来大结局的到来，它们随时却会燃起革命的火花。在中日战争的现阶段中，台湾和朝鲜的革命运动不已使日本提心吊

[1] 蒋震华：“地中海上的军事形势”，《东方》三二卷二四期；“巴勒斯坦犹亚民族的冲突”《东方》三三卷十二期。

胆吗？不已表现着中日战争扩大化中，日本的一大危机吗？

八

气候——我们考虑到某一根据地的军事形势，最后还应当连同该根据地的气候一并考虑在内，倘不如此，我们的考虑就很难获得适当的结论。

未来战争中极可怕的一幕是化学战。化学战宏大的效力莫过于空袭投下毒瓦斯。美国能用轰炸机十架，载重三百吨毒瓦斯进袭东京，一分钟内杀死六百万居民。美国的爱德华工厂，一天即可制造二百吨的毒瓦斯，每月制造量多至七千吨。如果毒瓦斯发生的效力完全像预期的宏大，那毒瓦斯真是世界上特效的、杀人不见血的极端恐怖的武器了。

但是任何毒气的效力及应用都必然要受到气候的影响。譬如当风速若大于四秒公尺或风向近乎逆势的情形，纵使从空中投下毒瓦斯，亦无从生效。毒气还须要适当的温度，它遇到过高的温度容易蒸发，而遇到零点以下的温度则又不易发散。所以应用毒气，必先有气象的知识，首先必考虑及近地面的气层温度、风向及风速。

美国进攻日本的一条捷径是北太平洋航路。北方航路沿岸二千七百浬都属美国的领土，所以它还是一条安全的捷径。从阿拉米打（Alameda）航二〇五三浬达乌阿拉斯加（Unalaska）的荷兰港（Dutch Harbour），前进约七百浬即抵阿留申的阿图岛（Attu），由此到日本国防内线的左翼仅八百哩，到横滨亦不过二千哩。这的确要算美国西进的一条安全的捷径呵！

可是假道北方航路，美国当前就会感到一个严重的气候问题。因为这一带的气候不是一般人能想像及的恶劣。一年有半年以上的雨雪期，风速经常大到每秒可达三十米，在阿留申（Aleutian Is.）很少日子见得着青草，而满眼的白雾倒是一连几天。这些对于军事不利的气候，在科学尚未绝对征服自然之时，使美国从北方捷径向日本的进攻，至少不能不受到相当的限制和阻碍，虽然我们没有充分理由根本否认太平洋北方航线开辟的可能性。

注意日苏战略的人们总以为苏联的空军是日本的威

胁。超速度的飞机从海参崴飞到东京两小时就得了。东京的木头房屋正是赤色之翼的好目标。加伦将军曾有一句豪言："以苏联现有的空军力量，三个月内就可把日本化为焦土。"但是清楚日本海气象情形的人，当同时也承认，日本海的气候颇能影响到苏联空军的活动力。据帝俄时代的著名海军战略家克拉多（L. Klado）氏的研究：日本海一年有两期季候不利作战，即从十二月到四月的冰冻期和五月到七月的白雾期，在此期间内，一九〇五年的海上会战他曾遭遇过许多困难。[1]今日苏联的飞行家固然创立了飞越北极的新纪录，可是红军的空中英雄未见得都是摆脱自然限制的能手吧。

可是日本海的白雾对于苏联潜水艇的活动反成为一种很有利的掩护了。绵绵的白雾，仿佛水上的天然烟幕；于此烟幕下，日本的战斗舰固然无从作战，然而潜行在水底的苏联潜艇倒正好展开它们的水上游击动作。这是必须指出的。

[1] 见 Gregory Bianstock 引用 N. L. Klado : *Posle Uchhodo UtoroJ. eskadry Tichovo Okeana* 书中之数字。

九

日本作者小川琢治和太田喜久雄合著《战争地理学总论》一书，述及影响战争的地理要素，为：人口、经济、地势及地形。依据他们的讨论，“战争地理”，应该包括以上三大地理基本事实。这个讨论是颇为正确的。不过，由于决定战争的地理因素，不只是人口、经济、地势及地形，而还有交通和气候，所以他们的讨论是颇正确，但却是不够的。因此，在这里，我们更肯定的提出：地势及地形、资源、交通、人口及气候作为“军事地理”务必叙及的五大地理要素。这些要素给与军事的，特别太平洋军事的影响，前面已略为检讨过了。

基于前面的检讨，我们的工作则是要把太平洋上举凡有关军事的岛屿，即所有已成或可能成为的军事根据地，凭地理和军事的判断来分别加以考察。在一方面，探讨太平洋诸根据地所能影响军事的五项地理基本事实，尤其注意到那些根据地的分布大势所表现出来的战略形势；在另一方面，同样注意到战略及战术，探讨应用战略及战术于各个根据地所起的军事作用和后果；这即是本书的具体内容。

我们还应当申说一句，为了叙述和考察地图便利起见，我们是依着太平洋上已成及可能成为军事根据地的政治属性，划为美国的军事根据地，日本的军事根据地，英国的军事根据地，以及其他各国的军事根据地而分篇研讨的。即研讨的对象，不是零碎的以根据地的个体为单位，而乃是综合的以它们各个的主人为单位；因为只有这样的研讨才能使我们易于找出太平洋列强对立的军事形势，同时亦易于找出太平洋军事地理形势的全幅轮廓。

第二篇

美国在太平洋上的军事地理

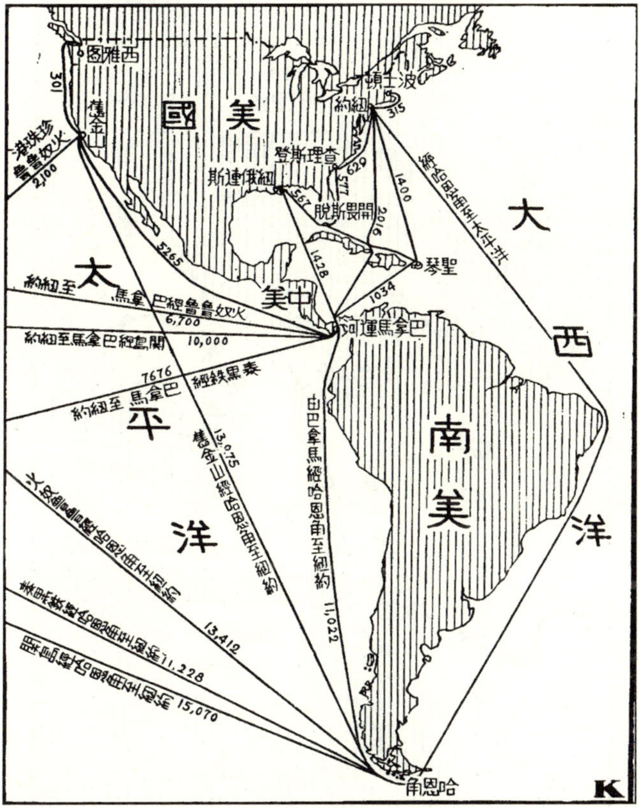

美国大陆沿岸军港及交通图

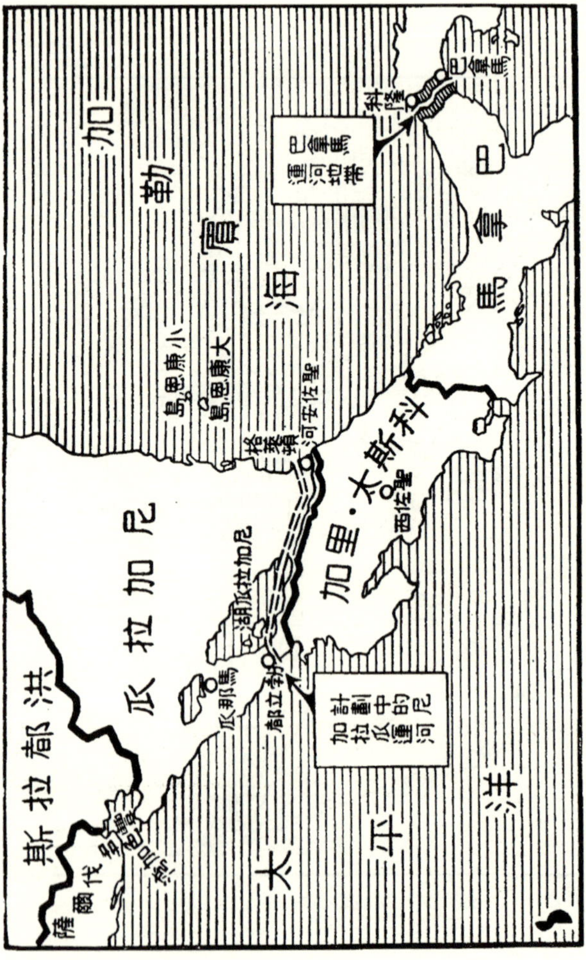

巴拿马运河及尼加拉瓜运河图

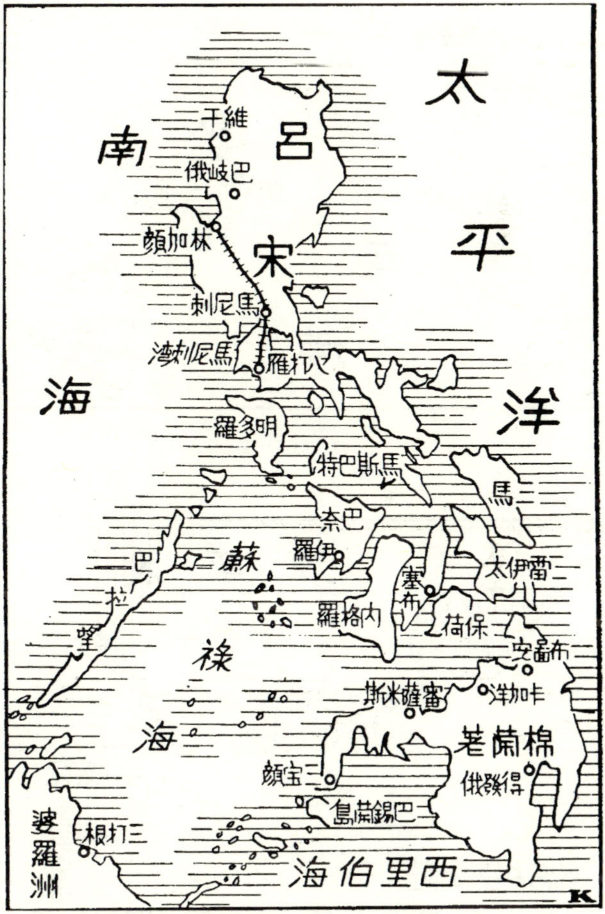

太平洋
南海
呂宋
維干
巴岐俄
林加顏
馬尼剌
馬尼剌灣
八打雁
明多羅
馬斯巴特
巴奈
伊羅
蘇祿海
巴拉望
內格羅
塞布
保荷
雷伊太
卡加洋
棉蘭老
宝顏
巴錫蘭島
西里伯海
婆羅洲
三打根

菲律宾群岛图

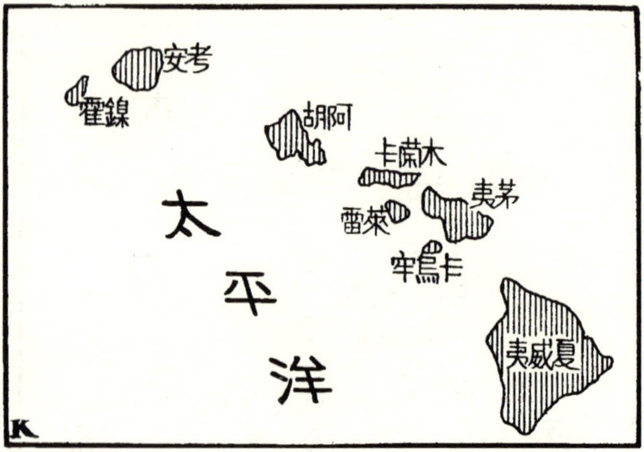

夏威夷群岛图

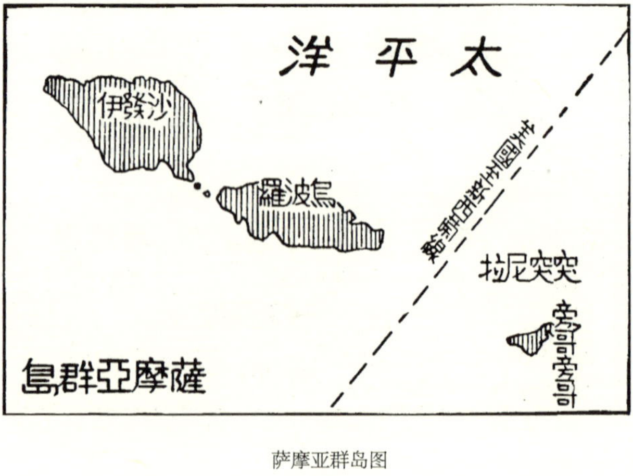

萨摩亚群岛图

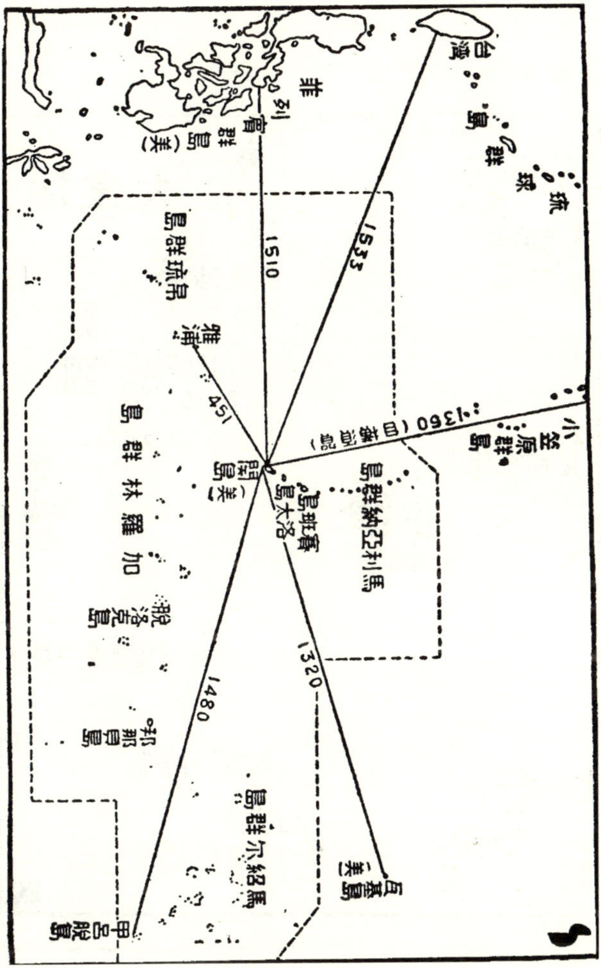
台灣
琉球群島
菲律賓群島(美)
小笠原群島
1360(日本海浬)
1533
1510
帛琉群島
雅浦
451
關島(美)
賽班島
洛太島
馬利亞納群島
加羅林群島
脫洛克島
耶那貝島
1320
1480
馬紹爾群島
瓦基島(美)
甲呂脫島

关岛图

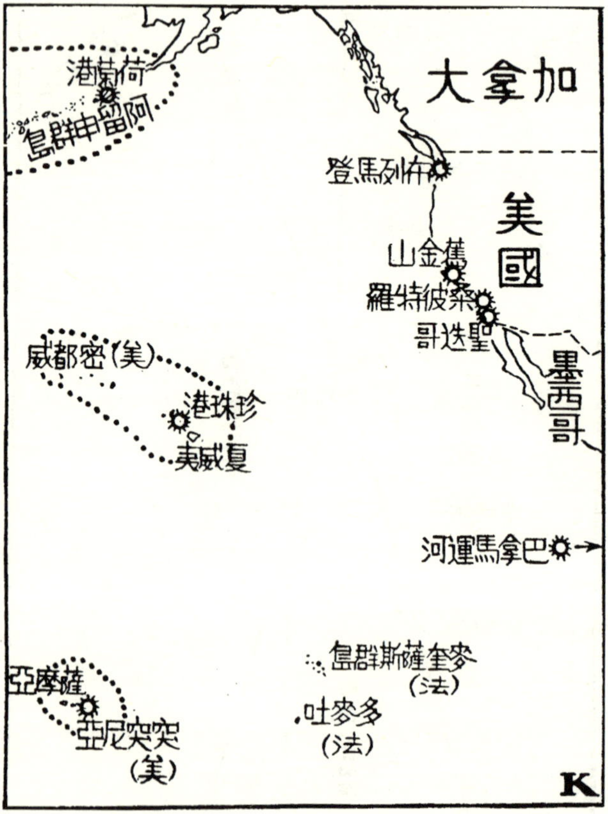
港蘭荷
島群申留阿
大拿加
登馬列布
美
國
山金舊
羅特彼桑
哥迭聖
墨
西
哥
威都密(美)
港珠珍
夷威夏
河運馬拿巴
島群斯薩奎麥
(法)
吐麥多
(法)
亞摩薩
亞尼突突
(美)
K

荷兰港及阿留申图

第一章　太平洋美国军事根据地的一般形势

一　内防线

展开太平洋大地图，最惹人注意的，是太平洋沿岸的特式地势；它有两大特点：(一)海岸与山脉是平行的，(二)海岸线完全是弧形的。依据地质学讲话，在远古时代，地质曾一度发生剧烈的变化，一部分大陆突然沉降，太平洋便是大陆沉降后的水潴。但同时另一部分的周围陆地，因为土地陷落所起的压力，而却皱褶隆起，形成了太平洋沿岸上的一带山脉。而且由于这样，使向洋伸出的沿海岸乃特别错纵屈曲，成一弧形线。[1]

我们首先看太平洋东岸的美洲大陆沿岸。自北冰洋

[1] 小西和：《太平洋沿岸的特式地势》，日本《海外》一九三六年十月号。

以迄于南冰洋，或者说从阿留申（Aleutian）到南美南端，第一，海岸线参差不齐，形势环抱；这样自然的构造，赠与了大陆沿岸一带许多天然的良港。其次，沿海岸上的山脉连绵，宛如一道长城。这一伟大的长城却不但使北美亚洲间的关系完全隔绝，就是美国的东西两岸的衔接，甚至也横遭阻截了。

因为整个平行着沿岸的山脉的阻隔，合众国东西两岸的陆上距离竟远至三千哩；而美国日本间的距离，除去三千哩的陆路还有航程五千哩，若完全航行，绕合恩角（Cape Horn）几达两万哩，即假道苏彝士运河（Suez Canal）亦有一万六千哩。这在商业上特别军事上都使美国蒙受莫大的不利。但是，自从这个长及两大陆的长城开辟了新城门以后，一切障碍和阻塞便全盘扫除。此一新城门即是美国绝对控制下的巴拿马运河。

巴拿马运河（Panama Canal）沟通了大西洋和太平洋的交通，能使美国分驻于两大洋的舰队打成一片，汇合为一个舰队。它是美国的军事孔道，军事大动脉，太平洋岸的南部重镇。

在巴河之北二八三九浬即桑特古军港（San Diego）。

桑特古乃是美国西岸的头等根据地，全港长及十三浬，宽半浬至二浬，水面广袤约二十四平方浬，深凡三十六呎；既能容纳巨型舰队，又还有险适于回避风波。此港的军事设施，除开要塞的建设，尚有燃料贮藏所、军需库、无线电台及航空站。桑特古正当阿拉米打（Alameda）要港南面仅四百五十浬。

阿拉米打是美国西岸中部的根据地。西岸中部的险隘为旧金山湾（Gulf of San Francisco），而在此湾内的阿拉米打军港益具有无双的天险了。我们知道，旧金山湾海岸线长达三百哩，水面纵横一千六百哩，北通长三哩半之金门海峡（Golden Gate），其西岸壁崖峻峭，炮垒罗列。阿拉米打地势之雄伟于此可以想见。

再从阿拉米打北上八〇一浬即抵西雅图，附近则为皮基沙特湾（Seattle，Puget Sound），著名的布列马登军港（Bremerton）便屹立于此。布列马登不但是地理的条件雄厚足称为天然的要塞，而且经过了充分的人工化装，建设有环立炮垒，两大船坞，大规模的补助舰制造厂以及其他的军需工厂，使它成为美国西岸的北方重镇。北太平洋的荷兰港离布列马登二〇五三浬，它们间的呼应，可能屏障阿拉斯加（Alaska），和保卫北加拿大。而且布列马登与桑特古之间有阿拉米打和碌安机尔（Los Angeles）两根据地（后者是新近建筑的潜水艇及航空根据地），它们一面加紧布列马登与桑特古的联系，一面此二大军事支点与布列马登辅翼为用，不待说，格外增强了右翼的作用。

由巴拿马运河引伸至迤北的皮基沙特湾，这共计四〇九九浬的大陆正面，可谓为美国的生命线。为确保此一生命线的安全，因而以阿拉米打为中心，巴拿马运河与布列马登为两翼，桑特古和碌安机尔两据点居犄角之势的国防内线乃建立，紧密的建立了起来。

美国西岸的内防线还可以这样划分的：即把巴拿马运河到皮基沙特湾一线，经加拿大（英属）和阿拉斯加展至阿留申。阿留申以弧形的姿态环绕白令海（Bering Sea）而向亚洲突出约一千浬，所以若将阿留申为起点直达巴拿马运河足足包括所有美国的太平洋沿岸大陆。在此大陆正面，就像《太平洋战争》的作者汤林格尔（Denlinger）等所形容的，有如“一扇对着亚洲的窗子”[1]，美国坐在窗子内面，可以很清楚地静观太平洋的风云并注视亚洲的烽火。沿窗子上面的军港、要塞及堡垒，又构成美国太平洋岸的大陆防线，亦即是扩大的内防线。

二　中央防线

我们检讨了内防线，现在将凝注地图的视线略为向西移动，夏威夷（Hawaii）便出现于我们的眼前了。这群岛屿在地图上虽只是几堆小小的黑点，然而雄踞于太平洋的中部，号称为美国的心脏。所有大陆防线的重要据点，除巴拿马运河而外，都不出驻夏舰队的行动圈外。它北与荷兰港相隔二〇三七浬，南与萨摩亚（Samoa）相去二三一〇浬，东离旧金山亦二一〇〇浬。

从夏威夷西进一一二六浬即中途岛（Midway），它比夏威夷更接近阿留申，计约为一一一六浬，同时它以五八一一浬的距离比夏威夷更遥望着巴拿马运河。若以阿留申、加利佛尼亚半岛（California）及巴拿马运河为

[1] Denlinger & Gary：*War in the Pacific*，P.182.

底边向中途岛由东北各联一线，恰成三角形，此一阵线可谓为美国大陆防线外防御亚洲敌人的警戒线。而中途岛适占联衔接三角阵线的焦点地位。

然而真正负起太平洋大三角阵容的中心任务的，并不是中途岛而乃是珍珠港（Pearl Harbour）。因为依据战略的勘定，上述三角阵线的焦点，在目前，仍只有以夏威夷的珍珠港为最适当。珍珠港握美国大陆正面防卫的锁钥。

因此，有的战略论者[1]认为美国在太平洋的国防线，可以划分内外二线，这外线即是以夏威夷为焦点北接阿留申，东连巴拿马运河所形成的大三角。但是这个巨大的三角阵形全线长达一万二千余浬，它有两点不可规避的毛病：一是阵线辽长，形势松懈，二是只顾到东北的防卫，忽略了南方的保卫。地图上标出，珍珠港北上可到荷兰港为二〇三七浬，南下还可到旁哥旁哥港（Pago Pago）为二三一〇浬，而且夏威夷萨摩亚之间

[1] Denlinger&Gary 分美国国防线为三道（一）大陆防线：皮基沙特湾——桑特古，计一一〇〇哩；（二）内防线：阿留申——阿拉斯加——加利佛尼亚——巴拿马运河，计八〇〇〇哩；（三）阿留申——夏威夷——巴拿马运河，计一二六四浬。*War in the Pacific*，P.83.

尚有凤凰群岛（Phoenix Is.）豪兰和圣诞等岛（Howland & Christmas）凑成的天然的航空母舰，正好形成一个连接的人字阵线，全线不过四三四七浬约合三角阵线三分一。所以与其采取漫长的、松弛的、备而不周的三角阵线为内线的警戒，毋宁利用夏威夷为先锋，阿留申和阿拉斯加为右翼，萨摩亚为左翼，同时巴拿马运河仍然可以遥为后应，而成为人字形的中央防线，因为它具有的优点是严密、紧切、坚牢和周全。这道中央防线替美国本部同时也替门罗主义下的拉丁美洲（Latin America）均奠定下了安全而巩固的基石。

三　外防线

在夏威夷前面是一条岔路：一向西北到中途岛，业已指出了，一向正西到威克岛（Wake Is.）。中途岛适当夏威夷与威克岛之中途，距东京约二千三百浬，为夏威夷——关岛——马尼拉（Manila）——上海的海底电讯分站同时泛太平洋航空第三阶段站。它一共有两个岛，双方距离约一哩，四周十八哩，都有石礁包围，平坦的海口即在此石礁拱卫之中。两岛间比较大的一个，面积阔一浬，长两浬，位置最适于中途的称呼。其次为东岛，面积只有前者四分一，最高点的浮面不过二十呎。两岛的居民连土人一共也不到六十名。

中途岛的梵雷斯湾业经辟为空军根据地。它还可能建为潜水艇的接济地，美国军事家以为只要一百万镑的经营，便可改装它成一补助舰的根据地。从火奴鲁鲁（Honolulu）航空到中途岛，依飞剪号的记录所费至多十一小时半。[1]

威克岛约位于夏威夷——关岛——马尼拉直径的中端。地图上显示出：由火奴鲁鲁经中途岛到关岛（Guam）约三四二六浬，而火奴鲁鲁到关岛的直径距离则为三三三〇浬，计短一二六浬。

威克岛是由三座海岛所构成的群岛，左为皮尔岛（Peale），右为菲克思岛（Wickes），面积均极狭窄，共约计二千英亩，全长四哩半阔二哩半。这三座狭窄的小岛相连颇似一英文字母"u"字的形势，在它们下面构

---

[1] M. M. Corpening：*Twelve Thousands Miles Airway*，*Chicago Sunday Tribune*，12，1937.

成一个三哩长一哩半阔的长方形的浅湖。湖之西北面是出口，流水激荡，是供避风雨的好所在。威克岛建筑为海空军根据地的计划，近已列入美国海军部议事的议程。

从夏威夷往威克岛空中航程一三八〇哩，需时九小时，而从威克岛飞抵关岛一五六〇哩，亦只需十小时，因此威克岛又是中途岛与关岛之间的一个重要军事支点。它距日代管岛玛利安纳（Mariana）比离关岛近，只一千三百哩；离小笠原群岛的劳易港（Bonin Is. Port Lloyd）以东亦仅一千四百余哩。所以威克岛不但强化美国在太平洋的交通，而且可能成为进攻日本属地最恰当的军事根据地。

继续西进，我们就找出美国在西太平洋的根据地关岛和菲律宾（Philippine Is.）。菲律宾在关岛以西一五一〇浬，但是关岛比菲律宾更近横滨三百八十一浬；而它们同是美国的前哨。

我们看，假若由旧金山起程而来亚洲，沿岛链至少有六八八六浬（如经菲律宾则为八三九六浬），这是如何漫长而令人感觉疲惫的航程呵！旧金山到马尼拉连续的四段途程，有的长达二千三百浬，最短的亦有一千一百二十六浬。像这样辽阔的距离简直等于我们从纽约坐飞机横断大西洋经欧洲沿小亚细亚、土耳其斯坦（Turkestan），越帕米尔高原（Pamirs）行抵中国的新疆一样。谈起来真是惊人！侥幸得很，地理给美国预备好了一条北方的捷径，同时就是在此遥远的距离间还配置了一串岛链；阿留申西端离横滨不及二千浬，关岛离横滨还只有一千三百六十浬。它们缩短了美亚两洲间的远距离，使美国成为亚洲的列强。

如此研究来，去关岛三三六八浬的荷兰港，或者说二千六百浬的阿图岛（Attu），及去关岛三一二〇浬的萨摩亚，彼此军事取协同的动作并非不可能的。那么关岛的核心配合着阿留申和萨摩亚两翼，当然在同一时候，菲律宾担任前哨的任务，中途岛和威克岛发动后卫的机能，美国的国防外线即攻势的防线便与以构成。所谓内防线和中央防线都属于守势的，属于以巩固门罗主义为主眼之防线。但是美国对太平洋的政略是门罗主义加上门户开放政策，后者也许还是政略的重心，为了达到贯彻这一政略的目的，战略上乃进一步在西太平洋建立其外防线，攻势的防线了。

四　优点和弱点

地理的事实证明美国在太平洋的军事形势是优胜的、雄厚的，而且很健全的。第一，美国在太平洋不但东部奠定了坚强而牢固的军事基础，而且西部也树立了广大的军事支柱；然而日本的军事据点却仅限于西部，这表现美国所占有的优势了。其次，美国在太平洋的根据地地势之雄伟，东部是用不着讲的；就说西部，尽管因为防备的限制和忽略，那些根据地都尚缺少锐意的经营，可是它们所具有的得天独厚的天险，则总是不可抹杀，不可否认了的。最后美国既有内防线，还有中央防线，还有外防线，这每一条防线，都整齐、严密、活泼、机动，在军事构造上和运用上又都是很健全的。

但是美国的军事形势，究竟也未尝没有它的弱点。地理同样地显示出以下三个事实：（一）凡是美国到澳洲，到菲律宾以及到远东的航线都难逃日代管岛的监视；（二）关岛位置完全陷于背阵的大包围；（三）菲律宾的孤立。不过以上三点，只有第一点可算为真正的相对的弱点；其次如关岛和菲律宾的弱点只在强化防务下便可能弥补起来的。一旦弥补起来，它们的弱点即变而为优点。

地理的条件，注定了美利坚的命运，要是美国在太平洋的根据地均有很完备的建设，那就都能成为美国向太平洋发展的“踏足石”，反之如其防务不足，甚至放弃防务，不消说得，结果一定会惹起危险。这些“踏足石”立刻“可能反转来于美国不利”，“像原来从西班牙手里转到美国”以后，反而“对西班牙不利的一样”。[1]这就是在太平洋无条约状态下的今日，美国已积极着手增防前哨根据地的根本原因。我们且立于现实基础上，提出那些特殊重大的根据地，作以下个别的研讨。

[1] Hector C. Bywater：*Sea-power in the Pacific*，P.206，14th Edition，1934.

第二章 巴拿马运河

一 太平洋时代的产物

一位美国籍的荷兰作者房龙（Van Loon）氏于其著《房龙地理》一书中，常讨论到亚美利加洲的地理形势，他特为赞美地说：“美洲是世界所有大陆中最幸运的一洲。”他的观点是站在把亚美利加洲当作一个纯粹的地理单位，“即西半球的美洲绝对不像非洲、亚洲、欧洲，在它们各个大陆上，同时有那样多的直接竞争者”。[1]美洲只有北美合众国是全洲的主人。她介居于和好的邻邦之间，如南方的拉丁美洲诸邦就很少不是美国领导下的门罗主义的竭诚拥护者，而决不会反对美国的；同时北方的加拿大表面上属于大英帝国的一环，但实际上，

[1] Hendrik Willem Van Loon：*Van Loon's Geography*，Ch.45.

地理的条件决定了加拿大要视美国为她安全的靠山；加拿大亦不致成为北美的敌人。因此亚美利加洲在“不问外事”的政策下，初看来，真正是幸运不过的。可是今日国际交通的惊人发展，把世界的距离缩短了起来，美国的金元势力已扩张得把美国带到了天涯海角，不可抹杀的现实，使合众国不论在大西洋或太平洋都存在有当前的大敌人。照现阶段来讲，美洲的地理位置固无所谓“幸运”；不但谈不到“幸运”，而且因地理之构成，美洲海岸异常辽长，沿岸一带蜿蜒的山脉，前章叙述过，又遮断着东西两岸的直接交通，这在战略上都于美国非常不利的。例如当大西洋发生了严重事件，美国的“亚洲舰队”便无法立刻赴援；同样道理，太平洋的风云一旦险恶，“大西洋舰队”要想赶来西岸，也很困难的。美国银行街的要人眼底该以这是一件多么苦恼而严重的问题！此一问题等待巴拿马运河开辟以后才完全获得解决。如此看来，巴拿马运河成功倒确实可谓是促进美国成为“一切大陆中之最幸运的大陆”的重要因素吧。

可不是吗？巴拿马运河把大西洋和太平洋间的交通完全沟通。在以前，绵绵的山脉隔断了两大洋间的洪流，而此后，大西洋的波涛打入了太平洋；在以前，由西到东是非绕道合恩角（Cape Horn）不可的，而此后，经巴拿马运河，美国从西岸到东岸的航程竟减少了四千四百十五哩。这对于美国的经济尤其军事都有莫大的俾益。军事家白华特（Bywater）评论过："无疑地，美国努力于此种伟大事业的动机，军事的比经济的强。""巴河所负的使命，主要在增进美国的安全，其次则在增进美国的繁荣。"[1]一九一四年八月美国举行巴拿马运河开幕典礼，时值第一次世界大战爆发，威尔逊总统曾豪放地致词说："人类历史上现在正展开了一个新时代，这个新时代，即是太平洋时代。"从而我们可以长思巴拿马运河在新的太平洋时代中所负的伟大的使命。

二　地势气候与构造

巴拿马（Panama）是位于哥斯德黎加（Costa Rica）和科伦比亚（Colombia）两邦间的共和国。巴拿马这一名称是共和国，是首都，而且还是省会。在它之北端约

[1] Bywater: *Sea-power in the Pacific*, P.260.

两哩地有一带形的土腰，这便是现在的运河区。运河的东岸有科龙湾（Colon Bay），陀渊海岬（Toro Point）及东麦吉内脱岛（Margarita Is.），形势均极险要，适足做运河侧大西洋的拱卫；而在西岸，巴拿马湾中则有佛兰门科（Flamenco），皮内科（Perico）及雷阿思（Naos）三座小岛，它们离巴尔玻亚（Balboa）不过三哩，紧拥着运河的入口处，又可谓为运河的西部绝好屏障。

运河区域的气候温度最低不出六十八度，最高则达九十五度。全年分干湿二季，而四分之三的时日为湿季；从四月中旬到十二月中旬落雨甚丰，据统计约占全年落雨总量百分之八五。此期内的东南暴风是会令人惊奇的。[1]

运河的构成略述如下：自大西洋深水处（四十一呎）至太平洋深水处（四十五呎）长约五十哩。但从深水处到沿岸线，在黎蒙湾（Limon Bay）四哩半，巴拿马约五哩，所以实际航程仅四十又二分一哩。运河两端几为水渠所封锁，由大格顿（Gatun）渠到极小的明各尔（Pedro Miguel）渠约三十一浬半，前者沿分水线长七二

[1] *Encyclopedia Britannic*，Vol.20，P. 666，11th Edition.

〇〇呎，渠基宽处约二千呎，水面约一百呎，离海平线一一五呎；后者渠基约千余呎，超海面八二——八七呎。

经常来往于运河的船只均须通过水闸，而通过水闸所须要的水量，则为附近运河的湖堰负责供给。湖之大者为格顿湖（Lake Gatun），面积计一六四又四分一方哩，它汇集迩近各河的泛滥。麦雷福罗斯湖（Lake Miraflores）要算最小的，面积只二方哩，海拔五十五呎。格顿湖在旱季水量有时不够充分，因此一九三一年十月美政府复沿运河地带的阿拉佐拉（Alajuela），建一墨顿湖堰（Madden），面积广阔十七方哩，高出海面二四〇呎。

运河中的水闸有三道，都系复式的，普通宽约一一〇呎，长一〇〇〇呎。船只必经过水闸而后驶出洋面。[1]

三　运河的地位

美国开辟巴拿马运河，从动机到成功，中间经过惨淡经营的历史。一九〇一年十一月二十日美国务卿海约

[1] *Encyclopedia Britannic*，Vol.22，P. 671.

翰（John Hay）与驻美英大使班斯孚德（Pauncefote）订立《海班条约》（*Hay-Pauncefote Treaty*），美国多年的斗争至是始获有“开辟运河”的权限，并“享有行使关于该河各项权利以及管理运河的行政独裁权”。因为这一条约的订立，使一八五〇年间的《格巴条约》（*Clayton-Bulwer Treaty*）所载之英美共同管理运河，保护运河的中立性的条文无形取消。至《海班条约》明文规定的中立性，据法罕（Vangham）解释，[1]完全徒有其名，因为假若某二国发生战争，只要美国为交战国，美国就有全权武力保卫运河，可见相对的中立性与《苏彝士运河公约》中的中立性迥然不同。一九二六年美国与巴拿马另订新约，美国年需付美金二十五万元（现改为巴币四十三万元），而获有运河地带的绝对支配权。美国在运河区域的政治地位遂益臻巩固。

除了政治地位而外，美国在运河区还建立了她的军事地位。一九〇五年《美巴条约》第十三款记载：“任何时候，为安全起见，美国有权运用警察及海陆军力，以资防卫。”一九二六年第二次《美巴条约》成立，美

[1] Vangham：*Panama Canal* & *its Maker*，P.147.

国所有的军事地位更为稳固，其第十一条称：“巴拿马民主国允许尽力与美合作……”“允许美国军队，虽在平时，亦可自由开往巴国境内。……”这不仅证明美国负有保障运河的责任，因有军事的使用权，而且证明全巴拿马国亦须要美国保护，而与美国军事打成一片，走上攻守同盟的路道。

四　工程与设防

历史上最伟大的工程代表物为中国的“长城”，埃及的“金字塔”，而这种代表物，在近代，巴拿马运河可算一个了。我们试一考察，重重的山脉，开凿成为五十六哩长度的运河，宽度，狭处三百呎；深度，低者四十一呎。一些堰湖、水闸、堤柱及防坝，都是凝结物砌成的。施米士（Smith）说得好：“巴拿马运河是三和土时代建筑的象征。估计建筑运河所费的凝结物若用以砌成人行道路（九呎宽六吋深），恐将环绕地球两周尚且不止。”夏威特（Showalter）更承认：“巴拿马运河是一个空前的伟大的人力供献，简直是不可思议的；同时它的完成获取了地质学上研究的新收获。”[1]这运河的工程之坚垒与伟大，我们再没有比这两位“巴拿马运河”的专门论者更适当的形容了。

关于运河的军事设施，美国曾以七三八二〇〇〇镑的巨额经费建筑运河两端的坚强炮垒。就太平洋方面言，在环运河入口的三座小岛上均装有十六吋径的海运大炮或十四吋径炮，前者炮位计阔二万码，后者亦有一万八千码。在雷阿思既有十四吋径炮多尊，又还装置了现代化的爆弹炮若干尊。运河太平洋面，水深而无急流，颇利于潜水艇的活动和水雷的敷设。美海军委员会曾对巴拿马运河的防备表示满意。美国威福尔将军（General Weaver）也认为运河的防务，堪称完善。他简单地吐出：“在敌人舰队驶近可能轰炸运河的距离之前，早就给临近的炮垒和要塞的火力击成粉碎！”[2]刻下运河新建立了无线电台和航空根据地。一切空防的设备经美陆军部长杜恩（Jeorge W. Dern）视察以后，不待说，亦已随时代之需求而有新的缜密布置。

[1] W. F. Johnson：*Four Centuries of the Panama Canal*，P.69-72.

[2] Mills：*The Panama Canal*，P.56-59.

五　安全的捷径

巴拿马运河最大的特征便是缩短了地理距离。从美国本身说起，大西洋的船只假道运河比经麦哲伦海峡（Magellan Str.），由纽约往旧金山少七八七三浬，省时三二点三日，火奴鲁鲁少六六一〇浬，省时二七日；范伯内索（Valparaiso）或智利（Chile）少三七四七浬，省时一五点一日。[1]

运河给于美国航程上的便利亦即是商业上特别军事上的便利，那是毫无疑义。运河给与美国军事方面的便利，这里，最好用史实来说明。美国人民的头脑里也许还深深烙着一八九八年美西（西班牙）战争的印象。作为第一次太平洋大战的美西战争，战线绵延一万五千哩，那时候，美国驻大西洋及太平洋的舰队，因为巴拿马土腰尚未打通，形势限于极度孤立，实力原很空虚，而美国舰从东岸沿麦哲伦海峡达古巴为程一万四千哩，须时六十八日，大有“远水不及救近火”之慨！设若不是西班牙的海军弱到极点，而能在美国主力舰队阿利加

[1] Johnson Huebner&Henry：*Transportation by water*，P.47-48.

号（Oregon）赶到以前，先演一出先发制人的故事，则美国海军虽然雄厚，但能不感到急不应变的痛苦么？今日读历史想像当年美远东海军司令杜威（Dewey）夺取马尼拉的情景，该是怎样侥幸、英勇和困难！同时又可想到，假如巴拿马运河完成于美西战争之前，则美国以敏捷的调度于两星期内能集中分驻于两大洋的舰队，将东西的舰队打成一片，杜威将军歼灭敌人的战略计划必能提早实现，而建立他的更理想的战绩和奇勋。

在第一次太平洋大战中，美国的战略弱点是航程迂远；随着迂远航程而来的则有将士的疲惫和给养的困难；而在未来的第二次太平洋大战中，因为巴拿马运河为美国建立了一条捷径，把以往所有的不利的条件都一扫而空。

巴拿马运河岂但是一条捷径，而且还是一条安全的捷径，这是不容忽视了的。拿现下的情势来分析，要是美国两岸间的交通仍然恢复到美西战争时代的状态，则从西到东的航路，第一还是绕道合恩角；这条航路在过去所感到的困难只是迂远，但潜水艇发达的现代，除了迂远且还有危险。比如在火地岛（Fuego）之南和拉发宁岛（Navarin Is.）之北，其间为贝钩尔峡（Beagle Channel），峡长达一百二十哩，宽仅二哩，两岸陡壁悬崖，僻处一隅；又峡之中部，出口处另为一彭孙卑峡（Bensonpe Str.），两岸港汊纵横，往来的船只不多。所以这两个地方都是敌人埋伏潜水艇绝良的所在，然而此处正是到合恩角必经的要道。

其次自大西洋到太平洋的航路则是驶过童贞角（Cape Virgins）进抵麦哲伦海峡，此后，从沙角（Punta Arenas）往太平洋，计航路三条：（一）径驶史密士峡（Smith Str.），再入太平洋；（二）直抵麦哲伦海峡尽头，沿孤立岛（Desolation Is.）而入太平洋；（三）经小儿湾越科克巴峡（Cockburn）达太平洋。这三条航路的中途，峡口参差屈曲，深度极大，又无处不利于潜艇的机密动作。这样在敌人潜艇纵横无匹的活动下，使舳舻相接的美国舰队一趟一步都不能不有所顾虑，而感到张皇、失措和不安。

这一切的弱点，唯独等待巴拿马运河通航始完全克服。此种克服，说明巴拿马运河捷径还另具有安全的特种意义。

六　控制苏彝士运河

巴拿马运河缩短地理的特征从与苏彝士运河对比上益有明显的表现。就东岸看，从利物浦（Liverpool）经苏河到巴拿马计便利六千零四十八浬，而若由纽约假道巴河到巴拿马则竟便利八千四百十五浬；较苏河更捷径二千三百余浬。再如到智利南部各地如彭他（Punta），亚内纳（Arena），卡渊雷尔（Coronel），沿苏河并无捷径可言，但经巴河则可减少二千三百六十九浬。

关于太平洋南部的情形，例如以前利物浦因苏河的交通，可以一万二千二百三十浬的航程直达悉尼（Sydney），这段航程比较绕道好望角的纽约计捷径一千五百浬以上，可是现在因为巴河开辟，使纽约到悉尼仅九千八百余浬，反少利物浦二千二百余浬。即就新西兰（New Zealand）谈，从利物浦和纽约往威灵顿（Willington）首都，原是相等的距离，但巴河独使纽约占捷径二七三九浬。[1]

最后到远东亦复一样。由纽约过巴河达横滨或天津

[1] Mills：*The Panama Canal*，P.84-91.

的航程各约为九千七百九十八浬，但若由利物浦经苏河到同样的两个地方航程却为一万一千六百七十八浬，而后者远前者一千八百八十浬。[1]

巴拿马运河虽说影响不到中亚细亚、东非洲、红海及波斯湾（Persian Gulf）一带的交通，沿此区域内只有苏彝士运河占绝对的优胜地位。可是太平洋的交通核心则全在它的掌握中；它不但加紧美国本部的联系，而且把美国带近了远东和大洋洲，而控制着苏彝士运河。结果，美国的“亚洲舰队”可以迅速地集中于夏威夷，一面防卫关岛和菲律宾，一面还能分负保护英领属地之劳。

七　巴拿马运河，陷落得了吗？

现在我们应当考虑到一个颇饶兴味的问题，即是巴拿马运河如受攻击，是否就有被陷落的危险！这个问题，在太平洋国际风云紧急的近几年来，时常引起日美两国人士的注意。在日本，一般青年将校及战略论者，大都戴着有色眼镜观察事实，他们脑海里总意构一幅日

[1] Mills：*The Panama Canal*，P.93.

本怎样能炸毁巴河的美丽画图，有的还引证白华特假想“明石丸”的故事，[1]作为空洞意构的根据。他们认为只要日本商船装一千吨炸药秘密驶近巴河，则平静的运河，顿时可能山崩地塌，炸得不留踪影。他们又认为巴河的防御工事尽管坚强得像铁铸的一般，可是毕竟因为它是日本空军的好目标，仍然不免有被摧毁的可能。诚如一九二五年美国在巴河洋面所演习的，攻军一鼓即占领哥斯德黎加西岸亚内纳港，以该港为空军根据地，敌人的空军若向相距仅七百浬的南方运河空袭，则运河的紧要部分便不难加以破坏。

但是若肯把头脑静一下，则这种种想像毕竟想像意构而已。炸弹的爆炸力固然值得惊人，不过要想炸毁一座铁壁样的巴河决又不是普通几百磅或一两千磅的轰炸力所能奏效的。在实施轰炸巴河之前，不可少的工作，为专家的计算，强力工具的配备，都复杂而繁重，同时又都需要科学的知识，决非巴拿马日侨商人和渔夫的间谍工作所能担任得了的；更断不是数千浬外日本海空军所能负责办到的。

---

[1] Bywater：*The Great Pacific War*，Ch.1.

欧战的时候，德国的大战略家毛奇（Moltke）氏曾拟就英国进攻德国海岸所有可能的战略计划九种，而每种计划经过十分缜密的考虑后，他附注着："理论上大都可能，然而实际上一种也不可能。"[1]这一附注颇适用于我们对巴拿马运河能否被陷落的问题讨论上。当欧战初年，联军以六师团兵力，十五艘战舰之众，浩浩荡荡协攻鞑靼尼尔（Dardanelles），他们的目的，是想占领这个黑海的咽喉，进一步来攻陷君士坦丁堡（Costantinopoli）。但是他们虽费了很大的心力和一年的（一九一五年二月起）时间，结果还只是失败。他们的损失，计：英舰五艘、法舰两艘都成为炮灰。联军的潜艇被击沉七只，海军陆战队，以英国而论，即死亡二万五千以上。从这一次经验可获得的教训，即：跨海远征敌人的要塞，绝对不像理想的那样易于得手。这一结论足足可以佐证巴拿马运河的安全，何况在巴拿马运河前面美国建立了重重的军事卫星，而每一个卫星都是防御力极强的重镇；如北面的桑特古军港，等于是巴河一只有力的臂膀；东北面夏威夷的珍珠港及东南面萨摩亚的

[1] Bywater: *Sea-power in the Pacific*, P.252.

旁哥旁哥港又活似它的一双眼睛，敌人要想偷渡它的严密的监视已属谈何容易；不消说，直捣巴河的可能性格外是微乎其微了。

八　巴拿马运河与尼加拉瓜运河

然而时代是前进的。在前进的时代的测验中，巴拿马运河本身的构造弱点，已渐渐显露出来。即是：第一，巴河的水平面与洋面高下不一，因使通过的船舰全用电力支配，先是步步向上升至八十五呎之最高平面，然后始徐徐而下驶抵洋面；第二，河身的阔度有限，使体积庞大的航空母舰通过的速度大受影响。现代的航空母舰及主力舰的吨位和型式都有增大的倾向。在未来太平洋大战中，军事重要的一着，乃是迅速地集中海军舰队，然巴拿马运河也许尚不够满足这一新的要求。

一九三三年美国海军举行演习，参加演习的军舰大小不下百艘，计通过巴河全部的时间为四十七小时。一九三四年又举行过一次同样的演习，而通过的时间减少为四十二小时。但这只是表面上的新纪录，事实上一九三四年参加演习的军舰比前一年要少二十艘。依据这两次的演习经验，通过巴河最困难的是航空母舰。美国的巨型母舰如“雷格斯顿”（Lexington），“塞拉吐格”（Saratoga）等号的阔度，几乎与格顿渠的阔度不相上下，费十二小时的长时间方才勉强通过。美国新近建造中的航母舰队，都为四万五千吨，巴河将来的通过速率的问题必更感到严重。

一九三四年十二月中旬，美众议院海军委员会主席文生（Carl Vinson）曾大声疾呼说，五年之后，巴拿马运河的水渠已不适用于最新建造的大军舰，他认为开辟尼加拉瓜（Nigaragua）运河已为刻不容缓之事。开辟尼加拉瓜运河的草案早已批准。[1]美国银行街亦已有实施

---

[1] 一九一四年八月五日尼加拉瓜政府与美国政府订立条约，内容为：（一）尼加拉瓜政府将通过圣佐安河（San Juan River），尼加拉瓜湖及沿其领土间建筑运河，这运河的经营维持，必要时即使绝对的土地所有权，均得永久让与北美合众国政府；（二）美国以九十九年为期租借卡恩岛（Corn Is.）及丰色加湾（Gulf of Fonseca）建造海军根据地；（三）美国付出代价三百万金。一九一五年二月十八日美政府批准此项条约。一九一七年美国参加欧战，此项工作即无形停顿。一九二七年美陆军部派人调查运河工事，三一年这次考察方才完毕。一九二九年以后的经济恐慌又使这件工程受到顿挫，近几年，这一计划又提上军事的议程了。

草案的计划了。

开辟尼加拉瓜运河有以下两大优点：（一）缩少航程，（二）格外安全。尼加拉瓜比巴拿马更接近美国。虽然尼加拉瓜运河长至一百八十三哩，而巴拿马运河的长度还不及其三分之一，虽然横断前者费时达十八——二十四小时，而横断后者则仅需六——八小时；可是从纽育尼斯（New Orleans）航行的船只比经巴拿马平均航程可少三分一。即假道尼加拉瓜运河，由纽约到旧金山可省一日，到以西诸根据地可省四十八小时。

其次，巴拿马运河的构造是闸门式的，容易遭受空袭的破坏；而计划中的尼加拉瓜运河，当然要务求新建筑的健全而极力避免这个弱点。尼加拉瓜运河另外还有一良好的自然条件，即它决不致发生地震的危险；反之，巴拿马的火山若是爆发，是否会影响及运河区域，美国的地质学者却颇引以为忧虑的。

经过一番比较的观察，我们可以判断：尼加拉瓜运河比巴拿马运河对于美国有更多的军事价值。这一个七十五万人口的小国，北连洪都拉斯（Honduras），南接哥斯德黎加，位于中美正中的尼加拉瓜，也许在最近的将来会以运河的名词出现于太平洋新地图上吧。

第三章　夏威夷珍珠港

一　远征舰队的总汇

夏威夷是美国本部向西突出的一大据点。它的位置适居于太平洋之中部，因此在两种场合下它显见得无比的重要。即：（一）日本是攻势的，美国是守势的；（二）美国取攻势而日本取守势的。不论在任何一种场合下，军事方面，美国前面立刻摆着两大急待解决的问题：一是军舰调度问题，这个问题，巴拿马运河可能负责解决；一是军舰的汇集问题，很明显地，海军舰队调度来太平洋以后，最紧迫的，即在适当距离内，觅取一个汇集的根据地，此种根据地则以夏威夷最为适合条件。

试想一想，如果把自大西洋调赴太平洋的海军，于跋涉巴拿马运河的通过后，径行开到前线作战，那绝对办不到的，就勉强办到，亦很不利。巴拿马运河去菲律宾九千五百余浬，关岛八千余浬，若说甫经巴河的大队军舰，不使它们有一点喘息的余地，继续驶抵阵地，仓皇作战，那固然要算一大奇迹！就说通过巴河以后，把舳舻相接的舰队先集中于离巴河二八三九浬的桑特古军港再驶往前线吧，桑特古军港本来是美国巨大军港之一，可能吞吐舰队，汇集海军，不过桑特古离菲律宾六千九百余浬，关岛五千四百三十浬，这也都是很远的距离，将桑特古集中的大批舰队直接开赴前方阵地，那亦简直是太儿戏了。

因此，只有在大陆沿岸与前哨之间建立一大根据地俾能容纳一切的舰队，守可以坐镇太平洋属地的安全，进可以成为前哨的后卫，成为军事大本营。夏威夷可谓为这一根据地的理想。夏威夷珍珠港便是一伟大的军港，在此港内，同时可驻集千艘以上的舰队。它足称美国屯集太平洋的海军总汇。

二　地势气候及资源

夏威夷是群岛的总名称，同时也是群岛中最大一岛的称呼。它的一群岛链中有九个完全荒无人烟。群岛的总面积为六六五一平方哩，计夏威夷（Hawaii）四二一〇哩；麻鱼（Maui）七二八哩；阿胡（Oahu）六〇〇哩；卡亚（Kauai）五四七哩；木罗卡（Molokai）二六一哩；莱雷（Lanai）一三九哩；里湖（Niihau）九七哩；克和老（Kahoolawe）六九哩。它们都是比较人口密集的海岛。夏威夷是群岛中最大的一岛，山峰矗立，高达一三八二三呎。地形为一不等边三角形。

群岛的政治和军事中心即阿胡岛。此岛系一不等边的四方形，东南西北山脉平亘，中间为平原，长二十阔约九——十哩。山之高者如克拉山（Mamna Kaala）海拔达四〇三〇呎。阿胡岛沿岸大部分都为珊礁所包围，它们多约半哩宽阔，高达一百呎。出口处一端是淮亚纳海滩（Waialua），一端是珍珠港（Pearl Harbour）。珍珠港有十方哩的水上面积和六十呎的深度。[1]

夏威夷群岛在北纬十八度五四分与二二度十六分之间，但是它的气候比其他同一纬度的地方，因为有更多的东北贸易风的关系，是特别温凉些。一年间只有正、

[1] *Encyclopedia Britannic*，Vol.13，P.81-82.

二、三月（三月一部分时间）内西南风势猛烈，气候炎热。正月到五月雨量最丰。在檀香山每年平均雨量为二八点一八吋，最多为四九点八二吋，少为一三点四六吋。

夏威夷的土壤大都肥美，计有一〇二七二九九亩的森林，二八一五〇二六亩的耕地。耕地所有权白人六三三；土人五一〇；日侨四一九一；华侨三三五；其他种族人二八六；以日人为最多。

热带的夏威夷，生产首推甘蔗，在一三八〇〇〇亩地中每年收获一〇三五五四八短吨的糖料。糖是夏威夷的主要工业，年产约值七五〇〇〇〇〇〇美金。夏威夷的小麦生产不足自给，年尚须输入的谷物共值一七四九〇〇〇美金。[1]据专家计算，它需要二十万五千亩的土地始足维持民生。政府已拟定整个计划并力求推进这一计划了。

夏威夷没有有价值的矿产。[2]

---

［1］ *Economic Handbook of the Pacific Area*，P.143，第七一表。

［2］ *Encyclopedia Britannic*，Vol.13，P.83-85.

三 人口问题

夏威夷的人口非常复杂，据一九三〇年的调查，夏威夷共有三十六万八千三百三十六人，其分布情形，计：夏威夷土著二二六三六；高加索夏威夷（Caucasian-Hawaiian）混合种一五六三二人；亚洲夏威夷混合种一二五九二；葡萄牙人二七五八八；波托尼科种（Porto-Ricans）六六七一；西班牙人一二一九；其他高加索种四四八九五；中国人二七一七九；日本人一三九六三一；高丽人六四六一；菲律宾人六三〇五二；其他种族人七八〇。[1]观此可知日本人在夏威夷不但占地主的优势而且占人口的多数。夏威夷的日本人口居第一位，最值注意的问题亦即是日本一般著述中常常论到的问题，是那些日本人口里面有许多退伍军人，因此，当日本进攻夏威夷，难免他们在秘密获得武器后，不演一出里应外合的悲喜剧。他们可能揭竿而起推翻白色人的统治自己来做群岛的主人。白华特想像夏威夷日侨叛乱的一幕：破

[1] Walter Bailey Hoffmann：*The Races & Nations of the Pacific Area*，P.458，Mcgraw Hill Co.，New York.

坏交通，包围军营占领重要据点，……[1]大值得美军事当局的考虑，当日美战争发生的时候。

四　夏威夷的武装

夏威夷自一八九八年变为美国的财产以后便逐渐进行其军事上的设施。一九二二年美政府采罗德曼的建议，一举而投下美金四千三百万元作为军事建设费用。近年以来，太平洋情势紧急，于是“文生提案”中，珍珠港要发展为吞吐美国全部舰队的军港，檀香山要建筑成太平洋上的直布罗陀。一九三六年五月中旬美国定以一千万美金建造夏威夷大船坞，一万万金元实施五年防务计划。夏威夷已建有一座规模宏大的造船厂，它虽不能直接建造巨型战舰，但对于舰队的修葺和装配却能不成问题地负责办理。夏威夷的军需库完全是建筑在地下的。这地下室储存的军需品，据亲眼参观过的华登氏（Don Wharton）估计，炸弹和枪弹炮一项就价值二千万

[1] Bywater：*The Great Pacific War*，Ch.16.

美金。[1]

夏威夷的武装除了一般的配置，最主要的，第一是海军根据地的建造，这一是潜水艇根据地，一是舰队根据地。目下美国已把原驻大西洋的机雷战队及潜艇主力配置于夏威夷，计有潜艇十五艘，水雷四具，水雷扫射艇四艘以及海上侦察机七十二架。

其次空军根据地原有卢克和威勒两航空总站，最近美拨款一千七百万金建筑希克曼大飞行场（一九三七年，十二月五日路透电）。同时阿胡岛西北的古爱岛和南方二百浬建立珍珠港的前哨航空根据地，夏威夷现有战斗机三百二十八架。最新式的防空同时密集地布置了。

最后，保卫海空军根据地的还有夏威夷的陆军。阿胡岛现已集中陆军二万人，分为“夏威夷师团”及国防军，都是精于使用摩托化器械的能手。

在珍珠港附近的各处森林中设有秘密炮台五座，十六吋口径的大炮有效的射程可达三十哩。炮台后面还有坚强的守望台。至于交通方面，阿胡岛交织的公路至少

[1] Don Wharton: *American Naval Defence on Pearl Harbour*, *Scribner's Magazine*, 3, 1938.

有二百五十哩，要知道，阿胡岛的面积不过宽二十哩长三十哩，公路而外当然还建筑了铁道网。

五　太平洋的心脏

夏威夷时常被人称为太平洋的心脏，这一称呼并不是偶然的。一方面因为它比较位于太平洋的中心地带，好像人体内的心脏位置；另一方面因为这个根据地本身的伟大能决定美国在太平洋的军事形势，一如心脏能决定人的生命一样，所以它很恰当地被称为太平洋的心脏了。

夏威夷东距西雅图二四〇九浬，旧金山二一〇〇浬，碌安机尔（Los Angeles）二〇〇〇浬，巴拿马四六八五浬；北与荷兰港二〇三七浬；南与旁哥旁哥二三一〇浬；这种几乎相似的距离，前面第一章讨论及美国的中央防线时已略为提到过的。

更进一步分析，今日的桑特古、阿拉斯加、阿留申及突突尼拉（Tutunila），不是海军大本营，便是空军根据地，所以无论阿留申、夏威夷、巴拿马运河三角阵形或从阿留申、夏威夷、萨摩亚人字阵形观察，夏威夷总一手握住军事的枢纽；以它为核心，美国在太平洋的军事活动，东、南、北三方面便能起着相互的联系和发生相互的呼应。即以西太平洋而论，夏威夷离关岛三三三〇浬，马尼拉四八四〇浬，这个距离因为途中有中途岛和威克岛做着踏足石，而关岛和菲律宾在充实防备下，亦不失为它的前哨。如此看来，作为太平洋心脏的夏威夷，不但足以坐镇整个东太平洋的安全，而且还能相当控制住西太平洋的活动。

六　日本有夺取夏威夷的可能吗?

在这里我们有两个颇饶趣味的问题，即从战略上看:（一）夏威夷有无被日本夺取的可能?（二）反之，美国可否利用夏威夷进攻日本?前者是站在美国采取守势场合的问题，后者则是站在采取攻势场合的问题。

关于第一个问题，有人说，依据一九三五年夏威夷攻防演习的报告，当时敌人攻击的对象是阿胡、麻鱼、木罗卡及莱雷四岛，卒以四万之众，在阿胡岛的哈勒伊瓦海岸蜂拥登陆，证明阿胡西北一带的防务松弛。一九三六年四月间夏威夷又举行过一次演习，这次攻军计有战斗舰及快巡洋舰数艘，航空母舰一艘，空军若干队，曾数度进袭阿胡，结果乘守军不备，以出奇制胜的战术达到完全胜利的目的。

但是演习只好当作参考，不能视为结论。夏威夷的防御在两年前诚然不甚周密，可是经过近两年的补充，它已成为太平洋上一座铁壁，可与新加坡“并驾齐驱”；要陷落它非像演习一般地简单。在形势上，夏威夷比新加坡优越，以上有所提及，它前有外堡，后有后卫，左右还有两翼，我们就承认敌军迫境的可能，但是这里要问，当大军迫境以前，敌人的动作不论怎样神秘，又怎能逃出夏威夷许多卫星的监视和防卫，日本果有夺取夏威夷的可能？白华特曾给我们正确地解答说：[1]

“若说日本自横滨远越三千三百浬之太平洋进攻防备周至的夏威夷殊难令人置信。即使日本军事当局不惜冒这个危险，那日本的远征舰队既受到许多补助舰及输送舰的牵制，航行速率势必大为减低，结果偷渡夏威夷

[1] Bywater：*Navies and Nations*，P.199-200.

前面的哨线就不容易。等待它们迫近夏威夷的时候，便恰好是附近一带的潜艇和空军袭击的良好目标。”

而且，“在日本海军陆战队登陆之前，她的主力舰首先应完成的工作系摧毁陆上的炮台。但是征之过去炮击鞑靼尼尔和弗兰多尔（Flandres）两要塞的经验，主力舰非有十艘决无济于事，而现下日本一共也不过有十艘主力舰，何况夏威夷要塞重重，炮垒环立，日本就倾全力以犯夏威夷，胜利的把握，也属很渺茫的”。

再退一步看，“夏威夷要塞的火力甚至失了效用或不加还击，日本陆战队也只有一个从阿胡岛北面登陆的机会。可是此地没有码头，上下使用小艇，小艇容积有限，重兵器无法携带，所以日本三万大军登陆已不易，即云登陆，又怎能不遇到守军坚强的抵抗？也许日军侥幸万分，勉强克服了以上的困难，但日军最后还须继续歼灭驻霞飞德兵营的一师团兵力，占领霞飞德兵营，否则也还占领不了夏威夷”。

白华特的结论讲：“日本海军远征夏威夷的计划，绝对不易实现。……日本如其企图支持对夏威夷的进攻实属一种错误的自杀的政策。”

七　夏威夷的攻势形势

其次，反过来问，美国是否又能利用夏威夷以为进攻日本的根据地呢？这我们可从两方面来判断。即：

（一）夏威夷虽然地居太平洋的中部，但就其军事意义言，它毕竟是一个守势的根据地，它的作用重心不在对西太平洋的进攻而在保卫东太平洋的安全。因为近代最科学的海军在多方理由限制下，主力舰作战的行动范围不得超出三千浬，而这还是依照理论讲话，事实上，主力舰作战有效的行动范围只有二千五百乃至二千浬。欧战的经验告诉我们，战舰参加作战的行动最好不出海军根据地一千五百浬。可是夏威夷离横滨三三七四浬，横须贺亦三三七〇浬，所以不管玻里内西亚（Polynesia）大舰队的战斗力何等强大，若说从夏威夷就能直冲日本本部的重心地带那却是非常渺茫的。

但另一方面据专家的意见，美国对日战争，最高明的战略是速战速决，为达到此种战略目的，美国只有利用夏威夷进攻日本的小笠原，小笠原是日本中央防线的枢纽，日本的主力势必被迫应战，而美国遂有一举歼灭日本的主力的机会。从夏威夷到小笠原约三千四百浬，这样远的长征固不宜于采用一般的单纵阵线，因为在此种阵线下，舰队的行列距离过长，这其间尽管配巡洋舰若干俾资警备，但无论如何，它的最大毛病就是太过于松懈，容易遭遇敌人的侧面奇袭，于是美国参谋本部费多年的心血发明一种恰能避免单纵阵线弱点而最适于完成速战速决任务条件的轮形阵线。

所谓轮形阵线的布置是：以主力舰队为战斗舰队的中心，离此中心约二十余浬内则用巡洋舰十二艘作成约一百二十浬的圆阵，于圆外约五浬更环布三十五至四十艘的驱逐舰队警备着一百五十余海浬的周围，其中包括有其他接济修理等特务部队。

以上系以主力战队为中心之轮形阵线。其次于此阵线前方约二百浬复置有前进的侦察部队以为横线警戒，即每隔二十五浬中间有万吨巡洋舰队十艘成一横列，一至夜间，则各以五艘分成两个横列，使敌人舰队虽于夜间偷渡至第一阵，而至翌晨亦必为第二阵所发见。因为巡洋舰夜行速力每小时为十三浬，潜水艇约十浬，所以夜间潜入第一阵线的敌舰计程至拂晓时恰好出现于第二阵的眼前。此等侦察阵势如附有适当之驱逐舰队及航空部队，殊足以减少敌人中途偷袭的危险至最小限度。

所以从夏威夷出发的远征舰队如采用轮形阵线，一方面可使长征舰队的主力、位置、编制、针路、速力及阵形、秘密，敌人无从侦察，一方面因为警戒配置的适当，沿途更能避免敌方潜水艇及鱼雷的命中；可能达到进攻的目标，并可能与敌人主力以重创。

第四章　菲律宾

一　美国的踏足石

我们把视线朝向太平洋地图的西部，立刻感觉到美国在太平洋的优胜形势，就是，她不但于东部建立了坚强的基础，而且于西部亦已有了稳定的脚跟。但同时立刻又感觉到西部的根据地远不如东部的那样完善，未来太平洋大战中的实验教训，总有一天会给美国银行街一次莫大的苦恼。所谓东部的根据地较西部的完善，并不是说它们的自然条件有什么特殊的差别，亦不是它们的形势有的健全有的不健全，而最主要的乃是因为美国在西太平洋的根据地太缺乏人工的防备和锐意的经营。

然而西太平洋美国的根据地是美国向远东求发展的"踏足石"（Stepping Stone）。地理决定了美利坚的命运，若是这些“踏足石”都有其完备的军事建设，它们便成为美国前进的军事支柱；反之，如其它们的防务并不充足甚至于完全放弃了防务，那可能成为美国军事支柱的“踏足石”亦可能变成为美国的祸胎。不待说，它们不但消极地对于合众国没有一点利益，而且积极地还“可能反转来给与美国以不利”，就像从前它们“由西班牙手里转到美国”之后“所给与西班牙的不利一样”。[1]

西太平洋的“踏足石”计有关岛和菲律宾，为了叙述的便利，首先在这里我们探讨菲律宾。

二　地势气候及资源

马来群岛中最大的群岛便是菲律宾。它包括岛屿七千以上，面积一一四四〇〇方哩。虽然其中无名的岛屿多至四六四二个，大多数小得只有一块岩礁，没人居住。可是它的十一个大岛即占百分之九五的全面积，吕宋和门达内俄（Luzon&Mindanao）为七万七千方哩，而四

[1] Bywater：*Sea-power in the Pacific*，P.206.

万零一百八十四方哩的吕宋就有荷兰一般地大。[1]

菲律宾的海岸线长一一〇〇〇哩，沿线有二十个良港和八个围陆的海峡。它的主岛马尼拉（Manila）广阔七七〇方哩，周围一二〇哩，著名的卡比特军港（Cavite）在它的南部。卡比特的西南两岸皆为五千呎的峭壁，偏西入口处又有科锐及多岛（Corregidor Is.），以峻峭的姿势屹立中央，瞭望着太平洋西部洋面，它宛若一座守卫台。

在吕宋岛之北有巴坦岛（Batan Is.），约三百方哩，地势是平坦的可筑飞行场，它与台湾的距离只有四十浬。菲岛极南端与婆罗洲相隔不过五十浬的大卫大卫（Tawitawi），亦具有充作航空根据地的自然条件。此外菲律宾还有利格士比（Legaspi）、苏利哥（Surigao）及三宝加（Zamboanga），都可能筑成为航空站和潜水艇根据地。

全岛的温度都很高，雨量亦重，暴风雨和台风时常惠临，可谓为菲律宾气候的特征。菲岛每年约分干湿二季，温度平均约为八十度。马尼拉年有雨量七六吋，四

[1] Hoffmann：*Pacific Relations*，P.459-461.

分之三是落在六月半至十月半的期间，七、八、九月雨天计占三分之二，而二、三、四月则只有十分之一的日子落雨。至于所谓台风，年总在二十次以上，计九月间至少起台风四次，正、二、三、四月间台风偶尔而来，五、六、七月间渐增，八月完全没有，以九月为最多，十、十一、十二月间风势复慢慢减低。[1]

菲律宾的耕地可能数约四千万亩，已耕者九百三十一万八千亩，其中百分之九九属菲人的财产。农产品最丰的是糖、森林、麻、烟草、椰子及米麦，年约值一万万五千万金元。菲岛的食粮生产年计二〇八〇五千担，尚不敷自给自足。所以为应付未来的大事变，贮积粮食亦为菲律宾设防的一环。它已造就足够四个月消费的储存基础。

菲岛的资源表现于矿物方面的特为殷富。在菲律宾可能找出金、银、锌、铅、铁、亚酸盐、铜、煤及石油等矿藏。据最近华盛顿通信：在马尼拉北部有金矿，一九三六年的出产计值二千万金元。在离潮水八哩地苏尔区域（Camarine Sur）则有亚酸盐矿十万吨，含有百分

[1] *Encyclopedia Britannic*，Vol.21，P.394.

之五五的酸化。亚酸盐是世界供给有限而极重要的军事资源。然而菲岛的亚酸盐矿不只一处，在仓贝山尔山（Zambales）该矿的埋藏量更多至一千万吨，含有量约百分之三五。其次吕宋的铁矿估计为五百万吨，含有量约百分之六一；据正确的数字，铁矿总埋藏量多至五万万吨。铁的输出一九三六年为四十五万吨。此外在吕宋及其他各地还有锰矿（Manganese），已知量为十万吨。菲律宾的石炭和石油亦有可注意的数量，但是尚待经营和开发。[1]诸如此类的军事资源若有大规模的经营，可使美国的远征舰队的军需品某些部分就可由菲律宾就近供给。

三　独立问题

菲律宾的人口将近一千三百万。种族颇为单纯，大致有马来亚（Malayan），黑人（Negroid）及若干印第安（Indonesian）诸人种。

关于菲律宾土著人种包括比喀人（Bikols），伊邦

[1] 见广东《英文日报》三月八日的《华盛顿通信》。

内人（Ibanags），伊诺科罗人（Ilokanos），攀攀甘人（Pampangans），攀加西冷人（Pangaseman），太加罗人（Tagalogs）及菲西亚人（Visayans）。他们都是笃信天主教的基督徒，约占全菲人口百分之九十。[1]

菲岛的外国侨民以中国人最多，约七万人以上。其次日本人约一万四千人。美国人四千人，其他欧洲各国人则总计不到四千。

一八九八年，美国和西班牙战争的结果，西班牙在华盛顿成立之议定书（Protocol）中第三条承认"美国领有马尼拉的城市及湾港"。是年十二月十日双方复订《巴黎条约》明文规定"西班牙割给美合众国菲律宾群岛"。[2]从此美国"付给西班牙二万万美金的代价，西班牙遂把菲律宾人民的幸福拱手交代与美合众国了"。[3]

攫取菲律宾是美国在麦琴尼总统政策下，初次试登世界帝国主义舞台的好成绩。美国经营菲岛至一九三五年已三十七年，菲律宾人民本民族自决精神要求摆脱异

[1] Hoffmann：*Pacific Relations*，P.463-464.

[2] Foster Rhea Dulles：*American in the Pacific*，P.220-240.

[3] Parker Thomas Moon：*Imperialism & World Politics*，P.196，商务翻版。

族统治的羁绊亦已三十七年。此数十年如一日的民族独立运动业已获有相当成功。它在法律上得到美国的承认，十年后完全独立，现在则为半独立，这一半独立式的菲律宾政府，一九三五年十一月十五日就在马尼拉正式成立了。

但是当前险恶的太平洋风云，使美国对于整个放弃菲岛的问题不能不从长计议，而有所考虑。最近东方的战魔企图吞并全中国的黑影早笼罩了菲岛全面，奎松总统为了要给所谓“亚洲人之亚洲”的阴谋一个当头棒喝，却不能不借重美将麦雅达参谋全岛的国防建设。不过菲律宾独立问题，到一九四五年究竟还是一个够费美国政治家苦心应付的问题。

四　设防动态

自美国握有菲律宾主权以后原就相当注意到群岛的军事建设：在马尼拉北五十七哩有斯徒孙堡（Stotsenburg）及密尔士两炮垒。在马尼拉进口处十二哩前的科锐及多岛筑有炮台并装置了坚强的炮位，而湾之两岸绝壁上更是炮垒林立。离马尼拉不过二十浬的卡比特军港如再加发展，可能容纳巨型舰队。其次在菲岛北部还有阿龙革波（Olongapo）要塞，是马尼拉北方的掩护。

但是菲律宾的设防程度究竟还不够健全。据一九二〇年美海军秘书处的报告，菲岛的要塞只卡比特军港有“适当的发展”，其他如阿龙革波及苏比克湾（Subic-Bay）的防务则几至完全废除。在菲律宾我们“尚找不出合乎理想设备的根据地。甚至近代舰队所必需的煤油栈及军需栈也都尚付缺如”[1]。

在过去，关于马尼拉以及其他诸要塞的设防问题，美国军事战略家曾有许多议案，但迄未实现。当华盛顿会议签订《九国公约》时，美政治家也许未想及西太平洋的敌人是如此之突飞猛进，而因为设防的限制，使菲律宾今日时刻可能发生危险。一位著名的海军当局写信给白华特道：“日本随时可夺菲律宾的，只要日本有意就无法禁止。在现状下，菲律宾实没法保护。”[2]

---

[1] Bywater：*Sea-power in the Pacific*，P. 256.

[2] 同上。

美国要确保菲律宾，据美海军主脑于伦敦会议后在上院外交委员会席上发表的意见，必需做到：（一）建设足能修补舰队的军事工业；（二）积极构筑要塞；（三）美国应有较敌人二倍以上的军备。美国海军将校会议中勃尼特少将也认为菲律宾若缺少理想的根据地而又无超过日本四倍以上的巡洋舰，决不足以言防备。[1]

近年来，美国深受到事实的教训，尤其自日本撕毁了《华府条约》，美银行街对于强化并扩充太平洋根据地早已提上了军事议事的日程。一般专家们主张在远东洋面设有严密的防务，主张充实太平洋的航空，俾能与海军取协同的动作，更主张建立能与新加坡相呼应的根据地，能控制荷属东印度煤、油、锡及菜油等必要军用品的根据地，这即是增防菲律宾。[2]所以奎松总统的政纲主要的为巩固国防。陆军方面计划每年挑选四万人从事军事训练，继续十年则有四十万军队可供使用。关于海空军方面，除了经常有美国的帮助之外，菲政府拟定十年内建造一百艘轻便的军舰和二百五十架海军飞机。

[1] 石丸藤太：《日美果战乎》，第一八八——一八九页。

[2] 一九三六年七月一日国民社华盛顿电。

五　远东的前哨

菲律宾的地理位置：在亚洲的东南，美洲之西，澳洲之北。从其本身看，则北接中国闽粤两省及日属台湾；西连法属安南、暹罗王国及南洋群岛；南临婆罗洲及西里伯岛（Celebes）；东依太平洋的田园要塞关岛。因此，菲律宾不但横亘于欧洲至欧属殖民地的通路上，适当澳洲和新西兰的要冲，而且还扼日本的海外交通主线，同时把美国国防线伸长至七千浬，使北美合众国发展而为亚洲的列强。

就对日意义言，菲岛是美国第二临近日本的根据地。日本的佐世保和横须贺都不出马尼拉舰队活动的范围。日属台湾和它更相去咫尺。设若日本有进窥关岛或夏威夷的模样，首先就绝对避不开菲律宾的监视。横须贺的海军配合着台湾的空军所形成的攻势，形势固然堪称强韧，但是如非先行占领菲律宾要想直袭关岛得手，在战略上简直不可能的，那么进攻夏威夷则更用不着讲了。所以菲律宾可称为美国在太平洋的根据地的防线前哨。

六　攻势的可能性

菲律宾北端的伊雅米岛距离台湾南端只有六十五浬，登伊雅米岛之巅可以一眼望见台湾的连山。其东北角距离日本的九州亦不过一千二百浬；从马尼拉到佐世保为程仅一千三百十八浬，到横须贺就算要绕道吕宋的南部经桑伯尔纳第诺海峡亦不出一千七百四十一浬。马尼拉是美国横渡太平洋航空的第五阶段站，再扩展八百浬即可到达中国的广东。看这些地理的事实，我们知道达格盘的空军不仅能防卫台湾空军袭击菲岛的北岸，并且还可能把进犯的海军在中途施行轰炸。同时马尼拉的"亚洲舰队"不仅能担负起前哨的任务，并且在加强实力的条件下，还能以每小时十五浬之速力，不到五日即驶达日本的头等根据地，进攻日本沿岸。这即是说，菲律宾可能成为美国长征日本的大本营，成为瞄准日本命脉的手枪。

其次菲律宾的地理条件最合乎对日本施行一种封锁政策。日美之间一旦发生战争，我们可以推断美国的战略目的，不外：第一，歼灭日本舰队，毁灭日本的都市、军港、要塞及工业地带；第二，则是封锁海上交通，破坏敌人的国外贸易。根据欧战经验，联军曾使用七十余艘军舰之众，竟未克扫荡德国专事破坏海上贸易的巡洋舰“鹰滕号”。用巡洋舰封锁敌人的航运是最有效的经济战争，同时还是极便宜的作战战略。假定菲律宾吸取过去日俄战争时日本封锁俄国旅顺口的故智，派遣若干巡洋舰、飞机、潜水艇出没于中国海、日本海以及其他洋面，则可能摧毁日本出西里伯海（Celebes Sea）经马加撒海峡（Macasar Str.）及亚拉佛拉海（Arafura Sea）达托列斯海峡（Torres Str.）的船只，遮断日本至南洋、澳洲、印度乃至欧洲的航线。日本自西南以迄于东南的海上交通均被截断，一切资源的输入便只有两条路：（一）大陆的中国，（二）苏联的西伯利亚铁道。但日本不为世界之公敌则已，不然的话，单封锁一项，在相当时间内已足致日本的死命。更进，若是菲律宾的潜艇再以冒险的行动突破马公基隆两要塞，冲入台湾海峡，复偷过台岐、对马二岛出现于朝鲜海峡，活跃于日本海面，那日本本部的交通亦行将截断，益加速她的崩溃了。

七　一个反面的观察

菲律宾接近日本本部，尤其临近台湾，反之它离夏威夷倒远至四千四百浬，离关岛亦有一千五百一十浬；而且关岛的防卫力比菲岛更为薄弱。我们把这些事实用战略的眼光分析，则是：自佐世保或横须贺到菲律宾只需三日的航程，约等于由夏威夷到菲律宾航程的四分一。假使日本采迅雷不及掩耳的手段，以强大的海军向马尼拉突进，在夏威夷的援军未及开到之前，也许日本早已成为吕宋的主人。要是日本的海空军从台湾出发，时间上更缩短了一倍，则更使日本能迅速地达到战略的目的。

当然，即或日本利用地理的接壤，以突袭的姿态倾主力进犯菲律宾，驻菲的少数舰队也未尝不能退到卡比特港保全实力，死守待援。可是这种死守的决心亦仅徒供牺牲而已。一九〇五年日俄战争时，俄国舰队困守旅顺失败的事实便是一个很好的经验例证。白华特曾郑重地警告美国国民说，日本攻袭菲岛的时候，“美国若想派出大批的舰队赴援菲律宾，至少需时三星期（从巴拿马运河），留在马尼拉湾的少许舰队如出而应战，决不够为日本无畏舰队的敌手；如深居简出，等待后援，可是敌人的海军决不容你安全，它一面可用主力舰、潜水艇和水雷厉行背水阵的包围，一面还可以海军陆战队避开马尼拉正面，而从吕宋登陆，卡比特港的海军直等于瓮中之鳖”[1]。

日本舰队若想在马尼拉登陆诚然比较困难。因为在湾口一带水雷重重，日本的扫雷工作，除非先击毁环湾的炮垒，就无法进行。但是菲律宾尚未设防的地方在日本参谋本部的军用地图上所在皆是。企图登陆的日军并不必干冒突破马尼拉正面的危险，他们宁可绕道林格恩湾和拉蒙湾，前者在马尼拉北一百四十哩，湾口洞开，面积阔大，无险可守，且未设防，湾内打克潘城有铁道直通马尼拉，从此登陆可能由侧面攻击马尼拉的后方，而后者位于吕宋的东岸距马尼拉六十哩，沿途均是芭蕉和椰子的田园，更是一条避重就轻的交通线，一条攻取马尼拉最便利最捷径的路线。日军若占领了三色文明之都市——马尼拉，则全菲律宾不难一鼓而下都竖起太

[1] Bywater：*The Great Pacific War*，Ch. Ⅲ .

阳旗来了。

八　直布罗治第二

菲律宾因为缺少近代的武装，防备落后，前途的确投下了一幅悲惨的暗影。这一幅暗影的放大可能遍遮美国在太平洋的西部乃至东部的领地。实在地，菲岛的陷落不仅是本身的陷落而已，它的沦陷足以影响及西太平洋甚至东太平洋的军事形势；足以影响未来太平洋大战整个的战局。

因此菲律宾好比欧战时的奥斯提得（Ostend）及直布罗治（Zeebruge）。它们临接达非海峡（Dover Str.），是比法两国在北海的军港和要塞，握英法海峡交通的枢纽。所以当欧战之初，这两大要塞区域便成为德国必争的目标之一。一九一五年八月至十月十六日德军曾先后以重兵夺取了奥斯提得和直布罗治，立刻使英法两国军事共同的活跃受到顿挫。大战之后，英国许多军事家追论当时联军遭遇挫折的主要原因，都一致公认是法国参谋本部对于直布罗治军港防务的疏忽。

今日菲律宾在战略上的綦重性并不弱于直布罗治，而因为过去的因循和条约的限制，没有理想的防备，却含有比直布罗治更大的危险成分。设若菲律宾不幸将来遇到欧战中直布罗治的命运，版图变了颜色，势必发生相似的军事影响。第一假如那时英美是与国，联系着新加坡和夏威夷的菲岛便会影响及英美联合的军事形势；其次美国本身，在西太平洋的踏足石必定随着菲岛的丧失而丧失了；由于西部的失势和没落，美国在东太平洋的制海权亦将为之动摇。

第五章　关岛

一　安全的基石

前章指出过，美国在西太平洋的踏足石除了菲律宾还有关岛，而关岛比菲律宾格外重要。菲律宾偏处一隅，形势已感孤立，如果没有关岛，它孤立的程度更不可想像了。菲岛的存亡固然能影响及关岛的安全，而关岛的存亡却更可能决定菲律宾的命运了。

据专家的意见：要确保菲岛的安全仅仅强化它本身的防务决不够的。务必同时加紧关岛的军事建设，只有关岛的安全基础建立了之后，菲岛的安全基础才与以巩固起来，否则菲岛尽管勉强建立起安全的基础，那基础也不过建立在沙滩之上。强化菲岛而不在关岛设防，这是一个舍本求末的办法，最好它们的防务同时并进，因为后者的坚牢即是为前者奠下安全的基石。

任何一个海军根据地，设若它是一个孤悬在海洋中的孤岛，前后左右都无一可资呼应的据点，那么，不论其本身的防卫如何雄厚，亦依然是很危险的。原因是：在某定区域内若只有一个据点，这一据点便最容易不过的使敌人的注意力能够集中，敌人进攻的目标能够确定。这一据点既已很单纯地成为敌人集中的目标，它的被攻击被陷落的可能性便大了。

所以欲保卫菲律宾，我们应当注意菲岛本身的防备程度，同时还应当考虑到菲岛附近的关岛的防备程度。因为后者的安全，才是前者真正的安全基石。

二 田园要塞

关岛是玛利安群岛（Marianne）南部的大岛，全长约三十二哩，宽四哩至十哩，面积为二百二十八平方哩。周围一共百哩，形势参差不齐。[1] 岛之北部多高原，约

[1] Bywater：*Sea-power in the Pacific*，P.264， 据 Evelyn G. Nelson & Frederick J. Nelson：*Guam* 文中云关岛长二九哩宽七至九哩。*Asia*，March，1936. 复据 Hoffmann：*Pacific Relations* 书中云：关岛面积为二〇六平方哩，而 *Encyclopedia Britannic* 中又为二〇七平方哩。

海拔三百至六百呎。东西两岸特高，遥望关岛好似一片平原。北部地势突起，如圣塔罗沙山（Mt. Santa Rosa）高达八百七十呎；马忌罗山（Jumullong Mangloc）高亦六百一十呎。由北而南山地尤多，千呎以上的高峰昂然突兀，左右皆是。这种峰峦环抱的地势最利于设置要塞和炮台。

沿海岸东部即为亚干罗（Agana）首都，它附近有泉水可资饮料。其西端是起伏不一的原野，东端海岸陡峻。此处海口水深六吋至八吋，可驶军舰，天气不佳的时候，恰好是军舰避风的所在。

关岛一面是山地独多，一面又是湾港交错，而且湾港外面总有许多暗礁。在东南角的亚加亚样湾，西南角北二角的乌麻达湾（Umata），无不是暗礁重重，几被包围了。就说阿勃拉（Apra）半岛，海口处亦环绕着一片的珊礁。阿勃拉港形势为关岛诸港之冠，港口宽三哩半，水深可能汇集大规模的舰队。从亚干罗到阿勃拉筑有军用公路，可能代替航行的困难。

关岛的高原有很多即是草原，就是在山谷间也长满了森林，至于平地更是一望无际的椰子果木。所以关岛的要塞有一种自然的隐避，在此隐避下，飞机的侦察力是没有多大作用的。这可谓为田园要塞的一个占优势的特点。

三　气候资源及人口

关岛是一个临接赤道的热带岛，气候颇适于人生健康的条件。一年之中自十二月到翌年六月间很少雨水，只有东北的贸易风；但其他六个月内既有季风和台风，复有长期的季雨。当台风大作，白浪滔天，驻在的船只则非驶往东部不可，因为东部有避风的港湾，能求安全。

岛中土壤不厚，经常只有十至十二吋深，但土质肥美。已耕土地只占全面积的很小部分。当烈日炎炎，雨水冲积期，谷物易于成熟，故农人收获颇丰，生活容易。耕地多在西南沿岸。主要农产品为椰子、米谷及咖啡。

关岛的矿藏，据专家估计最多只有少许石炭。[1]

土著占全岛居民的多数。所谓土著即翔摩渊人（Chamorros），他们都是马来质素的混合种。土著而外，

---

［1］*Encyclopedia Britannic*，Vol.12，P. 648.

则是从加罗林、菲律宾、日本、中国及欧洲的侨民。欧洲侨民大部分是海陆军人，都住在亚干罗。翔摩渊人有四分之三能讲英语，他们大都是农场的主人，生活安定，对美国的感情极为融洽，服从美国的统治亦表现忠诚。他们不像菲律宾人大喊其“菲律宾独立”的口号，相反地，他们要求美国国会给他们享受美国公民的权利，而绝对不要求独立。[1]

四　设防程度

一八九八年十二月十日的《巴黎条约》，规定西班牙交给美国菲律宾的主权，同时也规定将关岛的主权让与美国。此后关岛就隶属于美国的海军部，行政长官系美总统选定的海军人员充任，行政系统完全属于军事化。关岛的湾港无论平时战时均不开放，外国船只航经此地要受绝对的限制。这说明关岛的军事价值早为美海军当局所鉴定。

但是关岛至今还是一个防务空虚的要塞。一九〇五

[1] Evelyn G. Nelson&Frederick J. Nelson：*Lonely Guam*，*Asia*，March，1936.

年，经海军测量后，认为只要一百五十万镑的建设费便可使关岛成为第一等的军港。一九二〇年发展关岛的计划曾经国会通过，建筑基金已有把握，而被限制设防的《九国公约》整个打消了。现下关岛所有的军事防备都很简陋的。计在乌麻达湾入口处，南面有苏勒特夫人炮台，北面有圣安杰炮台。在雅各蒂湾前面山崖上亦有石头筑成的炮台两座。在亚干罗湾唯一的防御物也只是石头炮台，关岛沿海一带的炮台总共不过六座，驻兵约有海军二千人。

无庸讳言的，石头炮台老早失去其时代的意义，而驻在的海军实力又非常单薄，一座不折不扣的天险只充作添置燃料的所站，真太辜负了它的天然价值。可是美国的新觉悟已准备完成关岛军港的初步建设（一九三七年四月三日东京华联社电）。经过改装以后的关岛便可能一跃而为美国在西太平洋的头等根据地。目前关岛是美国横断太平洋的无线电站，又是横渡太平洋航空的第四阶段站，它穿上新装的时候，美国在太平洋的整个军事阵容也势必将焕然一新了。

五　后卫作用

当我们讨论到菲律宾时，指出菲岛的弱点是太接邻于佐世保和横须贺，而太远隔巴拿马运河和夏威夷。因为菲岛的防务松懈，遭遇日本的武力侵略是很容易，而获取珍珠港的军事保护倒反而很难了。巴拿马运河用不着讲，即云夏威夷尽管可能坐镇东太平洋的安全，而却负不了殿卫菲岛的任务。菲律宾的后卫所以只有关岛最适合条件。

关岛距马尼拉一五一〇浬，珍珠港四八四〇浬，从夏威夷到关岛，其间有中途威克两岛可作补充和停息地，因此夏威夷对于关岛的军事接济比对菲岛便利；由珍珠港出发至马尼拉的后援舰队，可以先行汇集关岛，在关岛略事休息和配备，再驶往前哨以解菲律宾之围，则比较有把握。这样关岛不仅不失为夏菲间的军事桥梁，而且它十足是菲律宾理想中的好后卫。菲岛的命运非决定于夏威夷乃决定于关岛。关岛与夏威夷的关系，白华特认为直等于欧战时黑里哥兰（Heligoland）于德意志湾（German Bight）及马耳太（Malta）支持英国的根据地的密切关系一样。[1]

六　攻击的精神

这个菲律宾的后卫关岛同时也就是夏威夷的前卫，因为若是日本舰队从本部出发进攻夏威夷，无论如何总逃不出关岛的监视。固然假如日本利用马雪尔（Marshall）为攻取夏威夷的根据地，而马雪尔的地理位置是在珍珠港与阿勃拉之间，以此为据点，关岛便无从发挥它的前卫作用了。但是我们要问："东洋舰队"事前是怎样驶达马雪尔根据地呢？成群结队的战舰，决不像空军能飞渡关岛的上空，它们怎样有偷过关岛守望的本领呢？关岛如其不是故意放任，在马雪尔有能力发动攻击之前，日本的军事行动决无法避免关岛的监视。其次，退一步讲，日本的大队海军事前已汇集于马雪尔，在马雪尔配备以后便有进攻夏威夷的能力，可是军力的补充和军需的接济总不可一日或缺的。这些从后方到前方的运输又有什么神秘的踪迹不致被

[1] Bywate: *Sea-power in the Pacific*，P.260.

活动于关岛洋面的美国潜水艇所截击和破坏？所以若不是先夺关岛即不先把前卫去掉，以日本现有的海军实力企图采大迂回的包抄战略直接袭取夏威夷不战而得关岛，那只是劳而无功。

同样可以明白，若是美国对日本采取攻势，美国与其将夏威夷或菲律宾为军事大本营，则不如以关岛做前哨，因为关岛在充分设防的条件下，它不但是座守势的要塞而且是一大攻势的据点。美国舰队于此据点的活动充满了攻击的精神。

关岛离横须贺比离菲律宾反近一百五十浬。佐世保去菲岛为一三一八浬，而去关岛亦不过一四六六浬。关岛与小笠原间的距离约八百浬，只有它与马尼拉间距离的一半。从这些地理事实，我们可以判断阿勃拉军港如果有殿卫马尼拉的力量，则不成问题地亦有攻击小笠原、佐世保及横须贺的力量。关岛海空军的活动可能使日本的神经系地带感到不安。关岛比夏威夷和菲律宾更能威胁日本，打击日本。

七　孤立的命运

但是从另一视角观察，关岛犯着菲律宾一样的毛病，即距离本国的军事重镇远，而距离敌人的根据地近，因此有人预料到关岛与菲律宾也许将遇着同一灭亡的命运。菲岛丧失的时候，关岛的星条旗迟早也会换上一幅太阳旗临空飘扬。

可不是吗？夏威夷去关岛远至三三三〇浬，若沿岛链则为三四二六浬；反之，横须贺去阿勃拉只有一三六〇浬，以每小时平均十五浬的速率计算，进窥关岛的日本海军，四日不到便能完成初步的使命，可是当关岛的警号传到夏威夷，就算它能立刻动员，途中并无一点潜袭的障碍，亦须九又四分之一天的长时间。这说明什么？这说明援军达抵目的地五日以前，关岛即已开始遭遇敌人的武力压迫，若不是极坚固的防备早已完成，关岛的生命，在强烈的火力下，能够抵抗而维持一百廿小时已经可算是侥幸了。

在五天之内，日本以强大的舰队破坏关岛现有的防御，实属轻而易举。等到山上的石头要塞解除武装，日本海军陆战队一面可以从容作扫雷的工作，一面运用一九〇五年围攻旅顺的精神，蜂拥登陆一举而占领关岛。

八　在包围中

地理暴露了关岛另外还有一个最大弱点。即是属于玛利安纳岛系的关岛简直整个被日本代管岛所包围了。

这个南洋代管岛的主权，如果分隶于若干国家，必要时美国还可以用外交的分化政策打破这种不利的自然形势，可是事实上它们正同时受着一个野心国家的统治，严密地包围起关岛。它们之间配合着航空母舰，巡洋舰及潜水艇便可能把关岛封锁得一丝不透，封锁得水泄不通。

日南洋代管岛是日本本部最大的突出点，它使三岛的沿岸伸长达二千七百浬，成为日本一座水中长城。这长城在左角即帛琉群岛（Palau），右角为马雪尔群岛（Marshall Is.），顶角为玛利安纳群岛，而关岛就坐落在它们的中间。它北与散奔（Saipan）岛相距只一百五十哩，那里的潜艇侦察关岛的军事消息只需数小时的工夫；南与加罗林，西南与帛琉都只有几百浬的小距离；东与剑罗伊（Jaluit）虽为一四八〇浬，但与曲克岛（Truk）则亦约为五四五浬。这散奔、帛琉、曲克、波雷勃(Ponape)、库赛（Kusaie）以及剑罗伊都是一些要塞和天然的航空母舰，关岛在海军和空军的四面楚歌之中，也许不久在太平洋大地图上要变颜色了。

但是话又说回头，关岛尽管地理上陷于包围之中，这种包围的形势使它的天然优势程度无形减低，不过程度上的减低并不能绝对否定它的存在价值。我们不否认日本南洋代管岛能影响及关岛的安全，但是我们却认定关岛的安危关键重心还决定于它本身的防备。只要防备没有问题，“它四周附近虽然有许多敌人的根据地，而它究竟还不失为美国在西太平洋的海军总汇”[1]。

[1] Bywater：*Sea-power in the Pacific*，P.268.

第六章　阿拉斯加及阿留申

一　美亚两洲间的桥梁

太平洋美国根据地的分布区域不仅限于东西两个部分，在北部和南部我们同样可以找出飘扬星条旗的根据地来。萨摩亚是美国在南太平洋的军事重镇，阿拉斯加及阿留申则是美国在太平洋迤北一带的海空军根据地。

英国首相鲍尔温曾经说，今日英国的国防前线不在苏彝士而在莱茵河（Rhine River）。用这样的语气我们不妨说合众国西岸的防线亦不在东部的夏威夷而已伸至西部的菲律宾，伸至北部的阿拉斯加半岛和阿留申群岛。

从荷兰港向南划一线直达夏威夷，同时向东划一线连皮基沙特湾，再从此接一线及夏威夷，于是构成一大三角。荷兰港便位于这三角的顶点，握住这三角的核心，所以在这三角形国防阵线的运用上，阿拉斯加及阿留申该要占怎样重心的地位。

原来亚洲大陆与美洲新大陆，由于地质的作用被白令海峡（Bering Strait）隔开了，可是好似大自然不愿使美亚两大陆绝对的隔离，所以一面有了白令海峡，一面又出现了阿拉斯加和阿留申，事实上又把两个大陆很散漫地加以衔接。阿留申和阿拉斯加适当亚洲与新大陆的中枢地带，它们与日本间的距离几乎等于与美国间的距离一样，计自旧金山到荷兰港为二〇五三浬，自阿留申西端阿图岛（Attu）到横滨约为二〇三〇浬，荷兰港到横滨亦仅二五三三浬。因此阿拉斯加及阿留申不但成为三角阵线的中心，而且成为美亚两洲间的中心，它们在军事上成为太平洋东西两岸间的捷径桥梁。

二　地势一瞥

地图上的阿拉斯加和阿留申岛链是以上弦月的姿态横断着北部太平洋。阿拉斯加西北面为白令海峡，隔开着阿拉斯加与亚洲的接连（不过最狭处只有五十四哩）；东部是一条长狭的海岸和岛屿，沿加拿大西境伸出约五百哩；西南则是阿拉斯加湾（Gulf of Alaska）和太平洋；至于西面，它毗连着阿留申岛链。阿拉斯加的山脉完全与其他太平洋沿岸同一个体系，而与海岸平行。它的面积约五八六四〇〇方哩，海岸线大致有四七五〇哩。[1]

阿留申岛链位于阿拉斯加半岛的西端，由此岛链再向西横扫一千二百浬即达苏联的堪察加半岛。合计这群岛链有大小岛屿一百五十以上，约可分为法克斯（Fox），亚都诺夫（Andreanof），锐帝（Rat）及尼尔（Near）四大岛系。大部分的岛屿都是火山纵横，岗峦起伏，最高峰竟达八六八三米。

阿拉斯加最重要的根据地是东南部的西提加军港（Sitka Sound）。由西提加越阿拉斯加湾约六百哩到科德克岛（Kodiak Is.），再下为金诗亚克湾（Kizhuyak），湾多为陆地所闭塞，但有相当深度，如加开发，可为良港。从科德克岛沿半岛而下约七百哩抵乌阿拉斯加，著名的

[1] 铃木良太郎：《アリュート人とアリユーシャソ列岛》，日文《世界知识》，一九三六年四月号，二一页。*Encyclopedia Britannic*，Vol.1. P.472.

荷兰港便位于此。阿留申有三大良港，即荷兰港、易尼留克湾（Iliuliuk Bay）、舰长湾（Captain Bay），要以荷兰港的设防比较完善。

荷兰港前方五百哩为亚德克岛（Adak Is.），中途有两处可资停泊：（一）离荷兰港一百哩的亚提喀岛（Atka Is.），（二）离亚提喀一百五十哩亚米尼亚岛（Amelia Is.），所以从荷兰港到亚德克岛是很便利的。亚德克岛的群岛湾和瀑布湾都能停泊军舰；尤其后者，入口处长八哩，阔四哩，深度约占面积之半，当然可容巨型舰队，大有建立为根据地的可能。

亚德克岛之西二百哩则是阿留申的边境。这里有阿图岛，湾港交错，形势天成。据美国海军部测量的报告，它能开辟为海军及空军的总汇。阿图、亚德克及荷兰港配合起来，在地图上俨如阿留申的鼎足。

三　气候资源及人口

阿拉斯加的地势既如上述，它的气候便容易鉴别。沿海地带与高原区域的气候显然有所不同。在西部和北部冬季较长，特别寒冷。在沿海方面因受日本海流的影响，温度颇为温和，每年平均温度约五四——六〇度（F）；寒暑表很少到零度或七五度（F）以上。夏季相当干燥，秋冬颇为潮湿。海雾经常弥漫，一年中约有六十到一百天的清朗天空。西提加的云雾和暴风都令人感到恶劣。西提加以下的区域气候则渐渐变为中和，温度略低，雨量亦略有减少。最初雾亦似乎稀薄。但一到乌阿拉斯加雾依然浓厚了。一星期内总有五天落雨落雪。暴风凶猛得奇怪，每秒钟风速可达三十米。像这样的狂风暴雪期要占全年一半以上。阿留申北纬五十度以北的岛屿，八月温度最高，但亦不出十度或十一度。[1]

在阿留申以西的气候颇有变化。如在百特罗波罗甫斯克（Petropavlovsk），冬天固然酷寒，夏天却亦温暖。每年从十一月到翌年五月，亚飞克湾（Avacka）的冰冻若没有破冰船的工作航行便受到阻碍。夏天为雨期同时还是浓雾满天。“阿留申及阿拉斯加湾可谓为北半球的

[1] 铃木良太郎:《アリュート人とアリューシャン列岛》，日文《世界知识》，一九三六年四月号。Hoffmann: *Pacific Relations*, P. 453. *Encyclopedia Britannic*, Vol.1, P.474.

气候工厂”，“这一带是世界多雾的区域”。[1]

阿留申的气候这样坏，一年中植物只有四个月的生命（从五月——九月），当然毫无农业可言。阿拉斯加的环境比较好，在短的季节内尚能产几种菜蔬和谷物，土地估计可能耕种的有一百九十万亩，已耕者六十万亩。在半岛还有相当丰富的矿产。于金、铜、锡、铝、煤炭及石油诸矿中金产独多，金输出年值千万金元，银和铜共值六四一五九一〇〇〇金元。煤产年约十万吨以上。所以房龙说阿拉斯加是美国“未来的宝藏”（The Store House of the Future）。[2]

阿拉斯加一共有六万人口，其中爱斯基摩（Eskimos）及印第安人占极多数，白人不到一半。阿留申的六千人口更几乎完全都是土著。他们的生活主要的不外是渔业。

[1] Denlinger&Gary：*War in the Pacific*，P.255-256.

[2] Hoffmann：*Pacific Relations*，P.455. Hendrik Willem Van Loon：*Van Loon's Geography*，P.538.

四　武装的迈步

一八六七年美国以七百万美金的代价购买俄罗斯帝国属地阿拉斯加时，一般美籍的探险商人最大的意图是求致富。他们想开发阿拉斯加的金、银，想以最低的价格收买阿拉斯加的珍品——皮毛，售与国内爱豪华的女士们好赚一笔大财。这些商人们也许做梦也想不到所谓白态公园的阿拉斯加还另具有其军事的价值吧。但自从美国先后合并上夏威夷、菲律宾和关岛，阿拉斯加和阿留申的战略形势便显露了出来，不过它们的军事配备还是近几年才加紧建设的程序。

一九〇四年美国陆军警报队在阿拉斯加建立了海底电报。所有三十四所海底电报站的服务人员即警报队的属员，电报制度系“华盛顿阿拉斯加军用海底电报及电报制度”，每年巨额的蚀本都由美国会批准支付，处处证明这个海底电报主要是为了军用。美国海军利用各多哇（Cordova）、荷兰港以及圣保罗岛（St. Paul Is.）的无线电站配合阿拉斯加的无线电构成一大无线电网。

阿拉斯加的铁路是一九一四年由美国政府建筑的，

管理铁道的是美国海陆军几个领袖。阿拉斯加铁道一直也是蚀本，美国会每年要批准巨额的经费填补它的支出数字。

阿拉斯加的航空事业早就隐约在薄弱的商业掩护下大规模地进行。它建有七十二个飞行场和六个水上飞机停泊站。每年载客达七千人以上的邮航，证明了阿拉斯加所占的军用航空的特殊地位。

美国银行街同样关心到阿留申的武装建设。当一九三二年中日淞沪战役，美作战部长布兰大将曾忧虑地问："这是战争的开始吗？"立刻颁下调查阿留申的命令。不过他很巧妙地走着曲线，为了免去日本的注意，和商务部长摩来氏商量的结果，在纯粹科学调查名义下进行其军事的勘测工作（路透电）。

一九三三年春，美国军舰亚干纳号（Argamne）秘密测量阿拉斯加及阿留申洋面。据报告这些地带早已有过日本科学技士的足迹。这表现得情势如何紧张！

一九三四年七月初，美国轰炸机十架从华盛顿飞赴阿拉斯加，载客都是陆军航空队的飞行师。同一期间，旧金山另有十一架大型水上飞机飞往阿拉斯加。它们的任务是摄取军事照片。

美国在阿拉斯加设防，以前是秘密的，近几年则加以公开。一九三五年六月初，美参院军委会决议于阿拉斯加添造飞机场六处，该议案六月五日即由众院通过了。同年阿拉斯加举行海军大操，史璜生曾公然称这是保护阿拉斯加的大操。一九三六年五月七日阿拉斯加代表端文氏在联邦下院要求范朋克空军根据地应常备军用机一百零八架。美国——阿拉斯加——阿留申间的不着陆飞行最近更是数见不鲜。

阿留申东部的荷兰港是唯一的不冻港，现在已建筑为军事根据地，可容主力舰及驱逐舰数十艘。美国海军当局正拟于阿留申开辟新根据地（一九三八年一月华盛顿哈瓦斯电）。空军的阿拉斯加第一期的建筑业已完成（见前电）。所谓阿留申的新根据地理想的目标即是阿图岛。

总之，以人口稀薄、土地荒芜的半岛，平时就有七十二个飞行场，四七〇哩的铁路及三十五个军用海底电报和电报站。荒凉的阿留申岛链也迈步地快穿上新式的武装，这一切表现出美国在太平洋备战的轮齿。

五　攻势的防御

有人作这样的推论：倘若在未来太平洋大战中，双方海军作战的主力仅限于主力舰和补助舰，则日本虽以三对五（对英美）的军事力量，亦能应付自如。因为日本的舰队完全驻集于太平洋；反之，美国却是介乎两大洋之间的国家，她要应付两大洋的事变，所以尽管占五对三的优势，然美国能动员到太平洋的海军至多也不过三对三而已。

而且海洋战争的重心是海军同时还是空军。因为空军的发达，日本对美作战的能力无形加强。从日本东北边境飞到阿拉斯加只需二十四小时，纽约亦不过四十四小时。自本岛沿千岛列岛达堪察加的航空线已开辟了。日本的空军循这一航线出发，配合着事前活动于西提加洋面的日本潜艇和巡洋舰，可能直捣阿拉斯加。空军再挺进一步甚至可能空袭费城（Philadelphia）、纽约和芝加哥。

然而这一判断，与其说证实了日本的优势，毋宁说烘托了美国的有利形势。最明显不过的，日本的海空军从千岛列岛到阿拉斯加首先应考虑及阿留申的防备，阿留申尚未丧失以前，阿拉斯加的安全必绝无问题。反转来看美国，阿拉斯加和阿留申都是她的属地，而阿拉斯加已是太平洋北部的空军大本营，阿留申的军事设施亦在迈步进行，前途正有无限的希望。美国的军力在自己的属地内便能牵制日本北部的军事活动，非仅牵制，且能封锁。牵制是防守的，封锁乃是攻势的。空军的阿拉斯加和海军的阿留申使美国西北疆的防御固若金汤。这一防御必要时还可能作为攻击敌人的据点，扫荡敌人的巢穴。

六　各个击破的战略之运用

用战略的眼光分析阿拉斯加和阿留申，它们一方面是攻势防御的根据地，一方面还是适于将敌人各个击破的据点。在日美战争的场合，美国也许会采取各个击破的战略，而阿拉斯加和阿留申地理上正合乎这种战略运用的条件。

我们知道，美国在西太平洋原已有一串根据地，等待它们的武装充实以后，西北两部的军事活动事实上就能互相呼应，因而各个击破的战略便能顺利的应用。比如当日本的舰队企图进攻马尼拉，则荷兰港的美国舰队不妨亦以进攻的姿态牵制敌人，分化敌人的主力联合。日本若以一部分海军监视阿留申而后再实行对菲律宾的袭击，日本的军力就不能分配，即勉强分配，亦恰好适合美国各个击破的要求。同样地，如果美国立于主动的地位，对敌人采绝对的攻势，那么，在阿留申和菲律宾或关岛的策应下，日本势必分途应战，于是各个击破的战略格外容易收到预期的效果。

但是日本的作者或要引证军事的史实，故作反面的解释。他们以为一九〇五年日俄战争时，日本的上村舰队曾以全力监视俄国海军在海参崴的行动，而同时东乡大将还能统率主力进击旅顺，支配自如，达到胜利的目的。这种日俄之战的形势，不就反证明白，当未来日美战争爆发，美国利用荷兰港和马尼拉或阿勃拉进行其各个击破战略不利的结果?

要纠正这一机械的历史解释之错误，我们须了解：第一，日俄战役，战场范围有限，从朝鲜海峡到海参崴仅八五五哩，到旅顺还不到八百哩。假想中的日美大战战场是特别广泛的。横滨离荷兰港约二千哩，横须贺离马尼拉一七四〇浬。这个距离超过朝鲜海峡到海参崴和旅顺的航程二倍以上。日本在日本海的活动力拿到太平洋当然不够应付。

其次很明显地，过去日本海上的军事形势，朝鲜海峡独具有决定的作用。它握日本海和黄海的咽喉，海参崴即位于日本海的北端，旅顺又位于黄海的西北角，海参崴、旅顺间的往来决逃避不了朝鲜海峡的守望。而且朝鲜海峡及其对岸的几个军事要塞把日本海周密地封锁了。当年俄国活动于日本海和黄海的舰队，因为这种封锁，完全被截为两段。可是今日日本在太平洋却没有如此便利的形势。美国的万吨巡洋舰既比日本多，日本的主力又不利于速战速决。太平洋的战线长，日本的军力不足支配。美国的荷兰港和马尼拉即使是海参崴和旅顺，然而何处是日本在太平洋的朝鲜海峡呢？所以日本设以截击的故智破坏美国各个击破的战略绝对很少可能的。

七　进攻日本的捷径

根据以前的检讨，美国向日本取攻势有四大可能的路线：（一）从珍珠港沿岛链下关岛直攻横滨；（二）循岛链先抵菲律宾再攻横滨；（三）从珍珠港经日南洋代管岛进袭小笠原；（四）从珍珠港进攻日代管岛。第一条路线约四七八六浬；第二条路线约六六七七浬；第三条路线是假定关岛和菲岛丧失以后的一条冒险的路线，约三千余浬；最后一条路线约二千浬，也是计划日本占有西部根据地之后的路线。此四条路线中前三者都有相当危险。美国的长征舰队至少在二千浬的洋面，因为临近日代管岛，一定会遭遇极端的骚扰和意外的奇袭。沿西太平洋进取的路线要以第四条为最安全。

从夏威夷进攻代管岛第一个目标当然是夺取剑罗伊岛（Jaluit）。它是马雪尔群岛中的主岛，离珍珠港二四〇〇哩，中途岛一八〇〇哩。夏威夷雄厚的海空军图一鼓而下剑罗伊岛本有把握，但是代管岛的天险要塞非常之多，如欲一一占领必须偿付绝大的代价。因而美国若有更好的攻势路线可寻，固不必作此不必要的消耗。这条所谓更好的路线即是以阿拉斯加和阿留申为中心的北方航路。

北方航路的起点不是珍珠港而是美国太平洋岸的大陆。从大陆到荷兰港或取道西提加或绕阿拉斯加湾至科德克岛，再或沿半岛直达荷兰港。空军方面除了这三道航线还有沿海岸的直径路线。美国海军部的大地图上当有更精详的标出。

荷兰港是一个海军的重心，是一个大队军舰聚散的根据地。从此前进五百哩可抵亚德克岛，再西行二百哩即达阿图岛。大队的海军汇集于阿图岛，而后出发至千岛列岛约八百哩，到横滨亦仅二千哩。

从而事实的表示是：由阿图岛往横滨的航程比剑罗伊横滨间的距离约少八百浬。而且皮基沙特湾与阿图岛相去约二千八百哩，而剑罗伊离大陆沿岸却远至六千四百哩。这就是说，太平洋美国的三角阵线，北部顶角（荷兰港）比中部顶角（珍珠港）要接近横滨三千哩。于是我们可以肯定的讲，阿拉斯加和阿留申给美国预备好了一条攻取日本海岸的捷径，同时因为它远隔日代管岛的危险地带，它还是一条极具安全性的捷径。

第七章　萨摩亚及其卫星

一　南太平洋的础石

考察美国在太平洋的军事根据地，最后不可忽略的，则是美国在南太平洋的军事经营。合众国经营下的南部太平洋，军事方面有一个特征，即是在这一带，美国除了建立主要的根据地外，还为这个根据地树立了一些卫星。我们想，一个根据地附近能有若干海军支点和天然的航空母舰做它的拱卫，确乎可算为美国在太平洋特种形式的根据地了。这尤其不可轻描淡写过去的。

我们不妨拿北部的根据地和南部的根据地作比较的观察。前一章叙述北太平洋的岛屿，论及阿拉斯加和阿留申，它们是美国本陆最临接日本的军事重镇，美国在北太平洋能有这两大重镇是很幸运的。不过地图明白地指出，在荷兰港、珍珠港及皮基沙特湾三角阵形的运用上，最好是荷兰港以南即荷兰港、珍珠港之间能有一二军事据点，然而二〇三七浬的洋面我们看不见任何军港和航站，这不能说不是它们的缺憾。至于美国在太平洋南部的军事形势就显然不同了。这里的萨摩亚是美国的主要根据地之一，而它一面与日代管岛相隔很短的距离，一面于前后附近还建树了一些海军的和空军的支柱。因为这些支柱，萨摩亚到珍珠港便有着阶梯。从旧金山飞澳洲或新西兰的航空有此桥梁，英美间就多一合作的契机。巴拿马运河、夏威夷、萨摩亚的大三角的机动也势必特别灵活。

所以萨摩亚及其卫星，不但像阿拉斯加和阿留申防卫来自西北的敌人，能抵御来自西南方的敌人，而且正如夏威夷坐镇着东太平洋，是南太平洋的础石。

二　地势气候生产及人口

萨摩亚是一个群岛，在英属东加群岛（Tanga Is.）的北面一五〇哩，左为英法共属的新赫布尼底群岛

（New Hebrides），右为大赫的岛（Tahiti）。就其卫星讲，北有费匿克斯群岛（Phoenix Is.），东北有查维斯及圣诞（Jarvis&Christmas Is.）二岛，西北则有培克群岛（Baker Is.）和豪兰岛（Howland）。它离奥克兰（Auckland）一六〇〇哩，悉尼（Sydney）二四一〇哩，旧金山四二〇〇哩。它包括大小岛屿十有四个，主要的如西部沙发伊（Savaii）约六六〇方哩，乌波罗（Upolu）三四〇方哩（现归新西兰代管），突突尼拉约五四方哩，（属美，另有 Manu'a&Rose Is. 亦属美。）群岛中属美国部分的，面积共七十六方哩。它们行政上直辖于美国海军部。

因为是海底火山口的原故，群岛的地势高达二千至四千呎。沿海各岸珊礁环立。突突尼拉满岛崇山峻岭，谷河幽秀，其南为旁哥旁哥军港，虽然属于军事区域，但有极佳的风景线。

豪兰岛位于夏威夷的西南。面积极小，计南北长约二哩，东西广约千码。全岛砂地坚平，出高潮不过十呎。可能成为水陆飞机停泊的良站，虽然礁多流急，为大飞船的应用还需要人工的开发。

圣诞岛的面积约一百平方哩。更是平砂广阔，珊礁满布，可能建筑军需库和飞行站。

费匿克斯群岛共有八个小岛；即凤凰岛、加拉尔（Gardner）、曷尔岛（Hull）、悉尼岛、比尔来岛（Birnie）、爱德保岛（Enderbury）、康东岛（Canton）及墨金岛（Mckean）。美国最近宣布合并的即凤凰岛，约为十六方哩。它的西北为培克群岛和豪兰岛。它也是理想的中途站和飞行场。

萨摩亚气候的特征就是潮湿。在别的岛屿固然也有潮湿，不过萨摩亚的湿季从十月到翌年三月占去半年以上的长久时光。气温方面变化很少。最热期为十一月约八十度，最冷期为七月亦有七五至七六度。从正到三月为飓风期，风势独猛。[1]一八八九年三月十六日美国两只军舰被飓风摧毁粉粹的史实至今尚留为此处水手们相传的警告。其次一些卫星的气候，我们没有正确的记录可供考察，但是萨摩亚的气候可作为估计它们的气候之一种参考。

萨摩亚的土地相当肥沃，多森林，出产以椰子和可可最丰。山谷间绝无矿藏。

[1] *Encyclopedia Britannic*，Vol. 24，P.115.

圣诞岛和豪兰岛都是人烟极少的荒岛，谈不到生产。前者虽然有少许磷矿，早已掘发殆尽；后者更只有堆积的鸟粪而已。

美属萨摩亚的人口约一〇〇五五；土著及少数玻里内西亚人八九二六；半土著人八七七；白种人二二七；中国人五，日本人和黑人二十。在西萨摩亚固然有长久的民族纠纷，所谓“民意运动”颇为蓬勃，可是在美属萨摩亚的土著首领因为美国开明的统治，并不表同情于一般萨摩亚的政治运动。[1]

三　设防现状

萨摩亚的旁哥旁哥港，自一八九九年美国与英德派分萨摩亚群岛占有以后即开辟成为良港。不过一切军事设备，如造船厂，军械制造厂，虽然方案早就草拟，然至今仍未付诸实施。

豪兰岛是一九三五年三月即《华府条约》满期不久，美政府派巡洋舰 Itasca 正式占领的。这次占领，并非是

[1] Felix M. Keesing *Samoa: Islands of Conflict*, *Forsign Policy Report*, Feb.28, 1934.

偶然的事件，据厥姆中将（Hugh A Drum）声明，事前派员考察豪兰岛已有八次之多。此岛的军事工程于占领前二月即已着手。二月一日旗舰杜安号（Duane）曾载各种机械专供建筑航空站之用。航空局的顾问康柏尔氏（Campbell）便是这次工程的主持人。督察员乃由海陆军机关选派的。同时所有的防备物都为陆军部调拨。

岛上已筑好三条飞行的平道。工人连夜赶工，异常紧张。所有燃料贮藏库、军械库，最近已完全完成。为了要适于大飞船的停泊，沿岸的珊瑚礁也都在用炸药炸毁突出的部分。

圣诞岛原有法人路易氏占有优先的租借权，美国垂涎它的优势地形，等待租借满期，美国亦将用科学的方法把它建筑为航空站和军舰寄碇所。

至于培克岛、查维斯岛以及新近合并的凤凰岛，它们的军事建设当然不久也会有赫然的成绩。

四　三角阵线作用的连环性

太平洋美国的防线，若用三角阵形来估量，则以夏威夷为焦点，从那里向北伸出一线及阿留申，复伸一线至东岸皮基沙特湾，于是珍珠港、荷兰港、皮基沙特湾恰连成一个三角，因此三角阵容，窥伺东北的敌人便不敢越雷池一步。这是叙述阿留申时业已论及到的。从珍珠港焦点若向南伸出一线经凤凰岛到达萨摩亚，同样地，旁哥旁哥、珍珠港及巴拿马亦连成一个三角阵形，使东南两部的美国领地在周密的防卫下而固若金汤。而且由萨摩亚还可以经圣诞、查维斯等岛划一四千二百浬的直线至阿拉米打，于是各作一线接珍珠港，结果这一三角形的阵线可能防卫整个的北美大陆和拉丁美洲。

进一步看，圣诞岛在夏威夷正南面约一千一至二百浬，凤凰岛在萨摩亚正北面约数百浬，假若于荷兰港和旁哥旁哥港各引一线至珍珠港，而后彼此互连一线，则南北横亘的三角阵形，又出现于我们的眼前。在此阵容内，要是于荷兰港至珍珠港间分段停驻航空母舰，那各线的距离便都不出最新式的轰炸机在二十四小时内所能飞达的航程。从阿留申以迄于萨摩亚的防空网，为阿拉斯加到巴拿马运河的防空更构成一道空防的前哨。如果将太平洋整个划分东西两部，那东部既有侧面的海军三角阵容为之护卫，复有横亘南北的空军三角阵容为之防御，益有金城铁壁般的巩固了。

而且这一正面三角阵形的防空网可以引伸至奥克兰，引伸至悉尼，复可能引伸至新加坡乃至香港。新加坡、香港、达尔文港是英国在太平洋的三角防线。它们的联络，显露出英美军携手的机运。它们的切诚联络，不但增强着美国在太平洋的属地的安全，而且加强着英国领地的保障。一九三五年十二月泛美航空公司与新西兰自治领政府成立通航协定。旧金山奥克兰和悉尼间的航空线业已开辟，这表面上是作为商用的，其实商业航空的经验和气象的统计，该恰好备为战时的参考资料吧。

五　破坏敌人贸易

破坏贸易属于经济战的一环。它是近代战争最锐利的战略。第一次世界大战以前，捕获敌国的商船，摧毁敌人的贸易，虽也是复杂的战斗行为之一，但对于战争并无若何重大的影响。迨欧战发生，德国曾利用这种战略收到意外的效果。[1]依据大战的新经验，未来太平洋大战中，双方都一定要争先采用这种新战略。萨摩亚及其卫星正合乎美国运用此种战略的地理条件。

萨摩亚及其卫星可能威胁日本的航线有二：第一是日本南美间的航线。这条航线连接着旧金山、夏威夷、萨摩亚，全长四千四百余浬，地理上把太平洋斜分为两部，可见其商业意义极关重大。但往来于这一航线的敌人船只，决无法逃脱活跃于萨摩亚洋面的美国巡洋舰的视线网。冒险航行这条航线的敌人船只不过徒供截击、拿捕和破坏。

其次则是澳洲航线，例如日本到南澳的航线，普通是沿菲律宾西岸，出西里伯海（Celebes Sea），经马加撒海峡、班达海（Banda Sea）及亚拉佛拉海达托列斯海峡。这条航路首先要遭遇菲岛潜艇的袭击，最后还要受到萨摩亚海军的堵截。它离澳洲东岸仅及二千浬，利用旁哥旁哥港为根据地，美国的巡洋舰和潜水艇若活动于

[1] 当年德国的小巡洋舰（三千六百吨）“鹰滕号”从青岛逃出即从事海上的游击，曾击沉英国七万一千吨的船只。协约国方面因德国U形潜水艇的活动，每月损失的船只，最低限度当在五十万吨以上。

澳洲以东的洋面，则驶往麦尔钵（Melbourne）及悉尼的日本船舶无论如何都飞越不了美国所布的警戒网。

六　中央防线的左翼

突突尼拉是一个防御敌人并破坏敌人贸易的据点，同时也是进攻敌人或与其他据点协同进攻敌人的军事根据地。有的战略论者，以为夏威夷好比足球队中的先锋，阿留申和巴拿马运河则是这先锋的两翼。[1]从这个浅近的比喻中我们立刻深刻地领略到所谓中央防线的攻势意味。但是巴拿马离夏威夷为四六八五浬，两翼之间相距更远至六七二二浬，于如此遥远距离间，军事上殊难收若臂使指之效。以此，笔者认为夏威夷做中心的中央防线，阿留申为右翼，而左翼与其说是巴拿马运河，毋宁说是萨摩亚。离珍珠港二〇三七浬的荷兰港既堪称右翼，距珍珠港二三一〇浬的旁哥旁哥港正好配合为一个左翼。若是以巴拿马运河为左翼，则右翼比左翼紧密多了，若是以萨摩亚为右翼，则反之左翼比右翼格外严密

[1] Denlinger&Gary：*War in the Pacific*，P.185.

了。我们早就指出，萨摩亚有许多卫星，每个卫星都是它空军的桥梁和海军的阶梯，因为珍珠港和旁哥旁哥港的空间，表面上虽有二三一〇浬的距离，而彼此的联系和衔接却是非常紧凑的。旁哥旁哥港如加以扩充，同时诸卫星的军事建设一旦完成，这个左翼必更能负起它所应负的伟大任务。

第三篇

日本在太平洋上的军事地理

第八章　太平洋日本军事根据地的一般形势

一　内防线

检阅太平洋日本的军事地图，我们立刻有一个感觉：就是日本在太平洋的军事地理大势，与美国的一般形势有许多地方很相同的。根据前篇的分析，美国一共有三道防线，即内防线，中央防线及外防线，根据现在的研究，地理事实表现着日本也一样有此三道防线，尽管每道防线和其中的每一个据点都各有其特殊的内容。

樱花三岛的岛国日本，沿海岸线特别辽长。她的面积虽不到十五万方哩，而海岸线竟长达一万七千余哩，其中太平洋沿岸最辽远，计一万零二百六十哩，约占全线五分三。这是颇惹人注意的地方。日本是太平洋的国家，日本海军向外发展的对象亦即太平洋。日俄战后，日本海十分之九已成为她的内湖。她的劲敌是太平洋的海军强国，因此她本部的国防重心乃建立在太平洋方面。她的四大军港：横须贺、佐世保、吴港及鹤舞，前三者就面向太平洋，这也毫不足怪的。

日本本部太平洋沿岸，歧分南北二线：北线循北海道向东北展开而至千岛列岛之北端；南线则由九州向南引伸以迄于台湾。从北而南，其间群岛花簇遍千，地势屈曲蜿蜒。这种突兀奇特的沿岸，环抱着西部太平洋，构成日本的国防内线雄姿。

在这个内防线上，堡垒和要塞遍地林立，就是军事据点和重镇亦复相望不断。首先看台湾，她南有高雄州与屏东街两大空军根据地，北有基隆海军要塞，如果空军根据地和台湾海峡的马公港能取充分的联络，东中国海的南方门户便为它们所把握了。同时基隆要塞若与东海东的奄美要塞取协同的动作，它们便扼住东海东北的咽喉了。合马公、基隆及奄美大岛三大据点，简直把整个的东海封锁得水泄不通。

握东海南方门户的是马公，握日本海南方门户的便是佐世保。佐世保军港位于九州的东南角，适当对马海峡之外围。对马海峡另一面为朝鲜半岛，有著名的海军站镇海港。它们都是日本向亚洲大陆发展的军事基点。日俄战役，佐世保曾以特别适中的地位，写成一页日本最光荣的战史。当时佐世保的海军把俄国分驻于旅顺和海参崴的舰队截为两段之后，先将旅顺舰队包围歼灭，复倾全力击破海参崴的主力，一举而占领海参崴。

自旅顺成为日本的战利品，佐世保、旅顺及台湾相连为一个三角，日本海空军在此三角阵线的活动遂控制了黄海和东中国海，使东海和黄海变为十足的日本湖沼。这就是说，远东海岸总有三分之二以上在日本控制之下了。佐世保距中国的门户之一的上海只有四百六十余浬，军需接济和补充只需一昼夜之劳，所以日本目前对中国中部实行武力侵略的大本营即是佐世保。

佐世保军港的军事基础，一八九〇年已早建立了。固然当初的工程比较幼稚，海军造船厂只能做一点修理工作，但到一九〇六年，即第一次中日战争后一年，它的规模便逐渐扩大，能制造轻型巡洋舰了。于今一切的设备当更日臻完善，达到饱和点的程度。军事秘密虽无从探悉，可是它新近建筑一百万吨的浮动大船坞，乃是有目共睹的事实。

吴港是日本较为次要的军港，然而它是四国唯一巨大的军事据点。这个据点横卧于濑户内海的西方入口处。濑户内海的西方入口为纪淡海峡，内有由良要塞，因此吴港与由良是相互守望的。它们可能担负濑户内海侧太平洋面的护卫任务。吴港同时还是日本建造海军的钢板铁甲暨潜水艇的供给地。

谁也知道，横须贺要算日本太平洋沿岸最强有力的军港，同时还要算日本本州的第一等的军港。它的地理位置特别重要。它以昂然的姿态凭临着东京湾口，它的主要任务便是警备帝国的首都，坐镇附近洋面的安全。

横须贺远在一八六四年，即德川幕府时代就辟为军港了。它直属管辖的机关是日本海军省。它的武装设施，日本当局讳莫如深，不过伟大的兵工厂，能容主力舰队的船坞，超现代的空军根据地，并驻有空军五大队，有眼睛的人都能看见呵。

最后北海道和千岛列岛的形势亦极险要。日本迤北一带的根据地都是最新的建筑。北海道的轻津海峡中的一些要塞，千岛列岛的栢原港、国后海峡、新知岛及择捉岛无一不是至关重要的军事据点，同可称为日本北疆的门户。

假定以吴港、佐世保及横须贺为中心，则台湾和千岛列岛宛若美国的巴拿马运河和布列马登军港，亦以两翼的姿势从事左右的策应和声援。而且在内防线内，日本还有一道从库页岛（Sakhalin）到台湾计三八〇〇哩的大陆防线更与美国从皮基沙特湾到桑特古的大陆防线一个模样。日本这道大陆防线包围着西伯利亚（Siberia）朝鲜和远东。但是这一防线抵挡不了来自北太平洋的敌人，因此把它扩展至北海道、千岛列岛，重新建立一道以太平洋为主眼的内防线。日本国防内线之坚牢我们可想而知了。有此坚牢的国防线已足使长列底太平洋沿岸之樱花岛国成为绝对安全的池沼。

二　中央防线

但是日本的治国经邦者，并不以此防线为满足的。一九二二年日本最高军事会议曾议决在内防线之外另建一道防线，此防线的理想位置即南沿安南和台湾的南部，而小笠原群岛（Bonin Is.）迤北以迄于堪察加半岛。

然而安南是法国在东方的殖民地之一，同时是法国在太平洋的根据地。日本欲利用法属安南作为比台湾更南的防线毕竟近乎理想。在这里我们且就日本势力范围内的南台一带来考虑以小笠原为中心之新防线的南部形势。台湾乃日本最临近菲律宾的据点，它的南端当然更邻接着菲岛的。这一带的空军威力该显见得怎样宏大。很容易明白：鹅銮鼻灯台的强光照射着仅隔二百哩的菲岛山谷，只要高雄州及屏东街的空军与台湾海峡中的海军打成一片，美国驻马尼拉的亚洲舰队就绝无活动的余地。

现在我们应当集中视线于西太平洋沿岸附近，这里有一群小小的岛屿，它们是新防线的核心。即是只占地图上几团黑点的小笠原群岛。

南台的险要固然足以控制菲律宾，可是马尼拉并非是美国海军活动于西部的唯一根据地，在菲岛之东南，美国还有较菲律宾更好的据点，倘使两路的大军同时前进，孤悬在太平洋一角的台湾，不论它的防备如何坚强，也很少把握堵击得住的。因此，最好连续于台南附近一带能另有一串根据地做彼此的锁链，而后才能收指臂之效。非常明显的，在足球的战局中，假如对方的冲锋打入中门，中卫失去作用，单靠右卫阻挡冲锋前进，尽管这右卫是一位足球健将，也必有势孤力竭之感。日本新防线中负此特种中卫使命即小笠原群岛。它距离东京不过五百二十浬，一衣带水，呼应灵便，所以父岛要塞的天险，不啻为东京湾的外堡。这个要塞若是与台南的空军和海军的根据地建立起周密的防卫网，则它们同是日本迤南一带的军事外堡。

而且小笠原如其能与日本极北的根据地，特别是日本理想中的堪察加半岛有活泼而敏捷的联系，那它们又成为日本北部的锁钥，成为北海道、千岛列岛的外堡了。但是假定有堪察加而无小笠原，偏处于北隅的堪察加既缺少军事据点做它侧面的掩护，俨如没有夏威夷的阿留申，随时都有被陷落的危险。堪察加虽然能防御日本东北面的敌人，却未能负起保卫整个北部的责任。只是同时有小笠原的存在，堪察加才益形富有御卫的力量。在红色旗帜下的堪察加尚未变为日本的理想根据地之前，日本北部的据点当属千岛列岛北端；而千岛列岛北端因小笠原的策应，日本北疆的安全即已有相当的把握。

三　外防线

在小笠原的东南面，有四堆大小不一的岛屿，即是欧战后国联委托日本代管的前德属太平洋赤道北诸岛，现已由日本经营成为军事根据地。日本的中央防线与内防线一样侧重在防卫。沉寐于图霸西太平洋乃至整个太平洋迷梦中的日帝国主义者当然不能以此线为最高理想，为要贯彻其既定的侵略政策，外防线乃建立了起来。

日代管岛的战略形势以下有专章叙述，此处且作一简当的观察。我们想像得到，在夏威夷往菲律宾之间，在关岛附近之周围，在小笠原七百二十浬的前面，日南洋代管岛屹然而立，它的军事价值是怎样重大。它西距马尼拉五百哩，东距珍珠港亦只二千哩，前者乃美国的远东前哨，后者为美国的大动脉，而在此两大重镇之间横卧的敌人的巨大阵地，则美国在西太平洋的海上交通无疑地就随时都有被截阻的危险。最近日本从本部经小笠原而散奔岛（Saipan）达帛琉群岛业已开辟一条航空线。依照现在的航空纪录，这道航空线又足以遮断夏菲间的空中往来。这是第一。

其次，前已讲过，作为菲律宾的后卫同时本身又是前哨的关岛，位置上不幸孤立于加罗林、玛利安纳、帛琉及马雪尔的中间，换言之，日代管岛竟天然地将关岛包围了。这样，若果说关岛的形势足以掌握菲岛的命运，则日代管岛足以掌握关岛的命运。日本能拥有代管岛反证日本军部已向西南部太平洋伸出它的魔手而准备攫取一切。

日代管岛与小笠原，日本部扫北至千岛列岛的东北角相连成一英文“L”字母形，长约六千哩的阵线。此阵线以突出于亚洲而陷进于太平洋的英姿，进可以攻取东南面的敌人阵地，退可以守卫并堵击由东而来的远征军。从此分析，则日本外防线形势的坚强决不是美国的远东的两个前哨所可比拟，所可同日而语。

四　政略的意义和战略的地位

我们分析过美国在太平洋一面要巩固本部的国防，

保卫拉丁美洲，急需厉行其门罗主义，别一面她还企求保全在远东的既得利益，贯彻对华的门户开放政策；所以在太平洋美国的军事根据地，形势上不但有金城铁壁般的内防线暨中央防线，而且尚有所谓外防线即攻势的防线。这种守势兼攻势的国防线，明显得很，都是美国整个国防政策的产物；它们的意义，一句话，就是门罗主义及门户开放政策的总和。

日本在太平洋的根据地也是在日本一贯之国防政策完成的。日本岛国为了防卫本部的安全而有本岛的防垒线。同时她的国防重心不仅在消极的而且在积极的扩张，所以国防线已由本岛伸到远东乃至西太平洋全部；日本有与门户开放政策对立的所谓东亚门罗主义的国防线了。

今日日本海军的责任，要是只求保全在中国及西伯利亚的优势，能维持朝鲜海峡的交通便得了。但是海洋交通比大陆交通目前对日本尤为重要些。一般从中国扬子江流域起运的生铁，从中国海所运进的棉花和米麦，以及经由荷属东印度一带马来半岛的橡皮和石油，澳洲的羊毛怎样平安运达日本？日本一些再生产商品又如何推销及世界每个市场？这类的问题，决非单做到防卫朝鲜海峡的工作所能解决的。日本企求绝对支配日本海及中国海并掌握西部太平洋的制海权和制空权；质言之，日本企求奠定其东亚门罗主义的基础，因而有上述之三道国防线的建立，而且它们的战略（当然限于地理条件方面）地位都是非常优越的。战略论者兑菲（Davis）氏于其著《可怕的日本》一书中尝称日本的地理战略形势是一“易守而难攻不落的形势”（Japan's Military Impregnability）。白华特讨论美国根据地雄姿之余亦承认“日本拥有无双天险的战略地位。日本即或没有代管岛，东部（太平洋）的武力进攻亦难成功；反之，菲律宾和关岛倒有被陷落的危险”。[1]美国的作者旦林吉尔和加锐亦复承认：“地理赋与日本理想的战略形势。”“那些紧密的天然防线纵使被攻击，随时都能发挥它们的抵抗能力。”“世界上的海军国家很少有如日本军事地理的优势形势。”[2]

[1] Bywater：*Sea-power in the Pacific*，P.276.

[2] Denlinger & Gary：*War in the Pacific*，P.188，191.

第九章　千岛列岛与台湾

一　日本的南北门户

从上面的检讨中，我们认识太平洋日美两国的军事根据地的一般形势是几乎相似的。假若视小笠原为夏威夷，日本的千岛列岛和台湾便等于美国的阿留申和萨摩亚。萨摩亚及阿留申是美国南北国防的前哨；台湾及千岛列岛便是日本南北国防的门户，便是日本保卫本岛南北二部的门户。

日本本部包括北海道、本州（或本道）四国及九州四大岛系。这四大岛系就是日本的神经部分。一些主要的富源和精华都集中于此区域内。要是这一区域万一不幸遇到军事上的破坏和摧毁，日本的生命便无从寄托，日本的呼吸也无从续延。

日本本部首先是矿产资源主要的出产区域。九州、北海道及常磐（本州）的石炭，年产达三千零十万吨；新泻县的东山、西山，秋田县的黑川及北海道的石狩等著名的油田；其他如硫化铁矿及铜铅矿亦相当丰富的。其次工业方面最值得提出的如大阪的纺织，号称为东方的曼撤斯特（Manchester）；九州的八幡铁厂；北海道的室兰制钢所；大阪、东京、北海道等地的三和土厂；东京的瓦斯工业株式会社和炮兵工厂；名古屋的摩托机厂；东京、石州、长崎、神户、彦岛等造船厂；横滨的船渠厂；大阪、相泽的造船铁工厂以及九州、北海道等地的电力工厂和兵工厂。所以日本本部每一地带，每一角落都存在着日本的生命和灵魂。日本为保卫其生命和灵魂，已有佐世保、横须贺、吴港、鹤舞四大军事根据地了。然而这是不够的。设若日本只有九州和北海道为南北国防线的边缘，则太平洋一旦多事，日本本部正面对敌的危险性就不可估计了。但是日本早已夺取台湾并占有千岛列岛而在九州和北海道之外重新建立了南北的门户，这两道门户要算九州和北海道的外藩。

二　地势及现状

台湾自一八九五年中国割与日本后，行政上已属于日本帝国的一环。现为日本六大岛中的第五大岛。但是台湾究竟是东中国海中的一岛，位置适居于由长崎、上海、香港、马尼拉所连成之四边形的中心，临近着中国沿岸，尤其西面与我国福建只隔一条台湾海峡。从那里它向东伸出于渺茫无际的太平洋，状如一片芭蕉叶，面积为一万三千方哩。

台湾东部，山脉纵列，平行海岸，故东海岸崖壁陡峭，湾港特多；如苏澳港水深多暗礁，三面环陆，为船舰避风的极好所在。西部则不然，平原广阔，海岸平直，因有浅海，湾港不良。我们看高雄安平二港完全是砂泥淤积。但是台湾主要的军港还在南北二部，前者马公岛的湾港，特具军事价值，后者著名的基隆、淡水两港亦形势险兀，能泊巨舰。堪称为台北的大门。

依据条约讲话，台湾和千岛列岛原属于禁止设防的区域。可是它们的武装多年前已在秘密地进行。马公港早就扩充，规模很大。这座山岳拱抱的军港，加上坚固的防御工事，同时在港背数哩筑有最新式之空军根据地。无怪日本人公开说：“要把马公岛变为第二香港。”

日本台湾间的航空线一九三三年就开辟好了。纵贯全岛的铁道干线业已敷设双轨，增筑支线。日本在台岛还建立公路网，加筑飞机场；在台北州、桃园郡、太园庄、下大掘等要害均添置要塞和炮台。

一八七五年《日俄条约》[1]成立，日本取得千岛列岛，日本在北疆便建立一道门户。岛上火山纵横，形势崎岖，有如带形一条。它南连北海道，北接俄属堪察加，离北太平洋的军事重要关键百特罗波罗甫斯克港（Petropavlovsk）只六百五十哩。它的面积为六〇六八方哩。

日本在千岛列岛的设防程序亦从未放松过。列岛中以择捉岛（Etorofu）的锡团包湾（Hitokappu）武装最为完备。尤合海军根据地的条件。此港长约五哩，宽三

[1] 俄国在十八世纪已沿太平洋北岸开始活动。一八〇四年俄皇曾派专使至日要求通商，不幸被拒，日俄两国遂在千岛列岛及萨哈连一带发生冲突，日方败北。但时适拿破仑东进野心正勃，俄国势难兼顾，结果于一八七五年订立条约规定：“千岛列岛归日本管辖，萨哈连则归俄国管辖。”见：Latourette：*The Development of Japan*，P.107，150，Macmillan Company，1931.

哩，能汇集巨舰，且为避风所在。其次在东北岸则为柏原港及大凑港亦都已建立有潜艇、空军根据地，及无线电台。

三　气候及资源

我们讨论阿留申的时候已对太平洋北岸的气候有所认识。千岛列岛的气候与其说像阿留申，毋宁说类似百特罗波罗甫斯克的气候。虽然千岛列岛的冬天依然严寒，狂风暴雪打着死海，冰冻到春天还是把湾港封锁，似乎与阿留申毫无分别。但是究竟它还有短促的夏天，五月间所有冰冻即已溶解。一年之中固然也有长期的浓雾，可是它还有若干时日的清朗秋天。可是可怕的荒凉笼罩了千岛列岛全部。在这里谈不到农产物。居民只是一般住在山洞里的虾夷人，百万的海鸟及无数的海狮。[1]

但是台湾则完全属于半热带的气候。夏令南部温度极高，空气闷热，北部白天固热，而入夜却凉。冬季温度最低不过十至二十度。台北多东北风，几无日不雨，

［1］ Denlinger&Gary：*War in the Pacific*，P.253-254.

气象阴郁，如基隆十二月至翌年三月为霉雨期。此地土地适宜耕种，谷物一年两收。日本每年输入台米二万万一千万石。台湾森林占日本林业第二位，樟脑生产占日本樟产第一位。台湾年产糖七——八百万担，亦居日本糖业首位。其次台湾还有若干金矿及石炭埋藏量。日本在高雄州最近开办了一大规模的铝厂。

四　民族革命的动向

千岛列岛的人口稀少，虾夷人都是穴居野外的原始民族，当然谈不到民族的意识和反抗。台湾的环境便大不相同，那些黄帝的子孙虽在日本铁蹄下被践踏已及四十三年，然自甲午以还，他们之间六人中至少有一人仍然未被征服，而继续在斗争的日子下挣扎。乘着刻下日本对外实行另一侵略战争之际，那斗争的火焰随时可激烈地燃起革命的火花。

台湾人口据最近统计共五百万众，其中除归化的土番约十三万，生番三十万，日人三十万，余皆为中华民族的台籍人（另有五万华侨）。这些中华民族的台籍人，大都为华南的泉、漳、潮、汕的移民，他们的方言就是厦门土语。日本人统治台湾贯施高压的手段，强迫犬马的教育，并命奴化当地的大众。台人受教育的机会以中学为限，没有武装的权利。日本目前因我国的长期抗战，伤亡极大，曾一度征调台人壮丁，但只充军伕。

那些在明朝末年随郑成功东渡的一班忠臣志士的后裔，他们都是黄帝的子孙，中华的儿女，每一个人的血液里面无不种下了革命的酵母。自一八九五至一九〇四年九年中台湾民众对日本压迫的反抗共达十九次之多，死者达一万一千余人。就说那般生番亦曾以很不完全的组织，努力血的抗争，虽然因为敌人飞机大炮的征服，他们的血花，没有结成胜利的果实。台湾近年来的革命运动更如火如荼地推进：一九三〇年十月的武装暴动，一九三三及三六年的两次激烈的斗争，无不以悲壮的血液写着光荣的革命史页。台湾先烈的儿女们，在大时代的今日，当然正在以最机密的动作，展开他们的革命事业，总有一天要共同地踏着先烈的血路，以更伟大的浴血抗争，完成他们祖先所未完成的革命的神圣任务。

五　南北的堡垒

日本拥有台湾便控制了东海，控制了中国南部沿岸。从地图上可以看出，台湾的马公、基隆及奄美大岛三大重镇紧密地包围着东海，亦即是包围着中国的大门。这一个大包围形势所促成的事实是：当紧急的时候，任何来远东的欧美船只，若未得日本的许可，绝对驶近不了我国的上海。换言之，日本很可能有效地封锁我国的大门，破坏欧美各国对华的贸易（要是没有香港或粤汉铁路，格外显著），实现东亚门罗主义的政策。一九二一年华盛顿会议时，美国国务卿休士即指出日本握住台湾，“日本”无异“伸开两足矗立于中国的大门”。“日本海军”活像“两只铁腕紧扼门户开放政策的关键”。是诚的论。

所以台湾与小笠原的联系活动下，台湾便成为不但是日本的而且是东亚的南部堡垒。是实现东亚门罗主义的堡垒。

同样地，日本拥有千岛列岛，便相当控制了北部太平洋。假如美国舰队自阿拉斯加越荷兰港到阿图港，西望堪察加半岛，直接威胁日本的北门，日本于此严重关头，若以三成的海军与五成的海军出而交锋，结果她的海军比率必更降低。所以与其冒险开关迎敌，不如多学欧战时的德国，把三对五的主力藏在港里保全实力。当年德方的计划，是先以潜艇和水雷消耗英海军的实力，等到三对四变为三对三的比率，然后出而决一死战。日本要是先采取消耗敌人的策略，千岛列岛的择捉岛便是日海军最适宜于蛰伏的根据地。

同时当美国把战线伸展至百特罗波罗甫斯克，战略上她已离开了本陆而深入；但是深入一步，军需接济必多一层困难。美国此时最善的战略也许是速战速决的战略，即以迅速的行动诱引敌人的主力应战，达到一举而歼灭敌人并袭取千岛列岛的目的。不过从亚飞克湾到日苏边境的一段航程，可谓为日美在北战场决胜的关键，日本海军绝对不可让美国舰队没有消耗之前，从阿图越亚飞克湾直袭千岛列岛。她将利用择捉岛一面集中主力，深居简出，一面集中潜艇和巡洋舰，以活跃的姿态，破坏敌人后方的交通，阻挠敌军的前进。在阿图与百特罗波罗甫斯克之间给对方重大的创伤。

所以千岛列岛与小笠原一致的活动能给日本北疆一带奠下安全的柱石。

六 前进的大动脉

更进一步研究，目前台湾不但是日本南疆的屏障和东海的锁钥，而且是日本推行南进政策的枢纽，向南太平洋谋发展的大本营，大动脉。第一，地理决定台湾是我国南部的一只眼睛，自从日本挖去了这只眼睛，台湾便反转来变为敌人进攻华南的一大军事根据地。它紧紧靠近我国的南部沿岸。台湾海峡只须现有水平降落一百公尺即刻消失，台湾与福建的陆地连接有极大的可能。因此不是我们收复台湾便是敌人利用台湾据点进攻华南。台湾的空军今日已几乎每天都来轰炸华南的要塞和交通线了。台湾的海军也已进占了我们的虎门要塞和海南岛了。

第二，台湾与香港亦近在咫尺，台湾的海空军进攻广州固然方便，进攻粤江口外的香港当更为便利了。香港、台湾间仅小隔三百浬，比长崎、上海间四八〇浬的距离少三分之一。长崎既是日本攻夺上海的军事大本营；

台湾更可能成为攻取香港及其犄角九龙新界，成为夺取远东商埠的牛耳，控制南洋航线要冲的军事动脉。

最后，台湾与菲律宾的距离尤其近，前者的南端和后者的北端只相去六十五哩。马尼拉“亚洲舰队”的活动，无论如何总逃避不了鹅銮鼻灯塔所照射的强烈光线。所以驻台湾的海空军在小笠原的呼应下，可能不费吹灰之力，占有设防尚未臻完备的菲律宾和关岛。

一点没有两样，千岛列岛一面是守势的据点，一面也还是攻势的据点。千岛列岛的择捉岛、国后海峡，及柏原港、大凑港，这些北门的锁链，每一环都是美国长征舰队驶达白令海以后再往前进的难关。

同时从这些据点北上至堪察加不到七百哩，阿图岛亦仅八百哩。延阿图东进二百哩即亚德克岛，再进五百哩即荷兰港，日本海军到达此间，便控制了大三角阵线的顶角。于是或东进二千哩占领阿拉斯加，进窥美国本陆；或南下二千四百哩横袭夏威夷，响应日代管岛进攻的主力，夹击珍珠港。

总之，千岛列岛与台湾同是日本攻守兼备的两座堡垒；同是日本内防线及中央防线两只有力的翅膀。

第十章　小笠原群岛

一　日本理想中的夏威夷

负中锋任务的小笠原与负中锋任务的夏威夷，地位上简直毫无差别的。不但它们的地位完全一样，就是它们的形势亦莫不相同。它们都有前卫和后卫，都有左翼和右翼，所不同的，那些卫和翼的军事工程各有强弱之分，那些卫和翼的自然阵势各有紧密和松懈之分而已。

从夏威夷到巴拿马为四六八五浬，皮基沙特湾二九〇〇浬，关岛三三三〇浬，菲律宾四八四〇浬；反之，从小笠原往横须贺仅五〇〇浬，东京五二〇浬，日代管岛之玛利安纳约一千三百浬，马雪尔约二千七百浬。这些数字的提出，主要的就是要证述如果夏威夷和前后卫的阵线感到迂远辽阔的缺憾，则小笠原正能避免这一缺憾，而感到呼应灵活的满足。

就两翼的机能看，事实也证明小笠原比夏威夷活泼些。这与前一样的道理，两翼之间谁最适于海空军的续航力，谁的作用愈表现宏大。小笠原离千岛列岛约一千浬，离台湾还不到一千浬，而夏威夷距阿留申二〇三七浬，萨摩亚二三一〇浬，前者的距离是在最新式飞机行动半径之内，而后者的距离却超乎前者的一倍以上，远在该行动半径之外。东太平洋的两只翅膀左翼原有一些踏足石，但毕竟比不上西太平洋的两只翅膀的密凑、健全、玲珑和活泼。小笠原本身的防务也许不若夏威夷的坚强，可是形势方面，它不特是日本的夏威夷，而且还是日本理想中的夏威夷。

二　群岛的沿革

小笠原群岛亦名波宁群岛（Bonin Is.）。小笠原是日本纪念这群岛发见人的地理名称。先是一五四三年西班牙探险者维拉罗布斯第一次发见这群岛屿。其后半世纪始有日本航海人小笠原氏（Ogasawara）寄迹此间，但一八七五年前，日本政府对波宁群岛并不十分感觉兴趣，小笠原氏所领导的殖民事业并无良好成绩。十九世纪初叶，美国的捕鲸船常出现于波宁洋面。一八五三年六月美海军中将贝勒氏亦曾率舰到此观光。一八六一年日政府乃一度特派官吏管理该岛的移民事务，但不久因生活不适而罢。居住波宁最久的还是一位美籍的流浪者沙伏雷氏，他和当地的女子结婚，建立了家庭，后期的生活便完全在此消磨。一八七四年他以八十岁的高龄寿终，才永别了这群岛屿。

当十九世纪后半叶，日本的帝国主义已在萌芽，开始要求凡日本人居住的地方，或天然联系于日本本岛的地方，均应当隶属于日本的版图，受天皇的统治。于是琉球群岛、小笠原群岛、千岛列岛、萨哈连以及北海道，尤其小笠原、北海道和千岛列岛最先成为日本初期侵夺的目标。一八七五年十一月二十六日，即日本占有千岛列岛以后不久，劳易港（Port Lloyd）便插上太阳旗，一八七八年日本复正式用天皇的名义不费一兵一卒把它占有。[1]

[1] Kenneth Scott Latourette：*The Development of Japan*，P.151.

三　形势及现状

据地质学者的考察，小笠原乃属于火山性质的群岛。它是日属群岛中最小的一群岛链，位于东经一四二度，北纬约二六度三五分到二七度四五分之间，为横滨一大突出点。总计面积为二八点八二方哩，约合日代管岛二十八分之一，日属琉球三十五分之一。海岸线长一七四六五哩。

群岛中知名的岛屿共十有八个。由北而南，为新郎岛、媒介岛、新妇岛、弟岛、兄岛、父岛、母岛、侄岛及妹岛等。小笠原很少巍峨的山岳，有的只可说是点缀风景的石山和巉崖。沿岸一带珊礁环抱，湾港独多，形势天成。

小笠原最大的岛是皮尔岛（Peale Is.，即父岛）、贝勒岛、（Parry Is.，即母岛）及布克兰岛（Buckland，日称兄岛），最主要的海港为劳易港，它是一个海底火山的喷火口，水深形胜，堪称良港。一八五三年代表美国威逼日本通商的贝勒将军曾经非常赏识过它的。海港面积不大，能容巨舰。此处有天文台、无线电台及横渡太平洋的海底电站。其次，群岛东南部的皮尔岛，还有菲吨湾（Fitton Bay），湾内形势隘要，海岸峭峻，海水渊深，亦不愧为海空军的根据地。万山拥抱中的劳易港和菲吨湾配置着要塞和堡垒，表现得无上的雄健。小笠原的设防因条约限制，最初只能在秘密中进行，于今《华府条约》早被日本一手撕毁，当更有飞跃地进展和惊人的成绩。

在小笠原圈内的气候与其谓属于温带毋宁谓属于热带。此地的雨量不厚，但多暴风，气温经常干燥。农产品为椰子和野豆及各种森林。

小笠原除了最近发见的磷矿没有其他的矿藏。[1]

四　前卫作用

日本要保卫本岛绝对的安全，单在本部建立了几座要塞和根据地决不够的。前章特别讨论过日本本部的一些精华。在这些精华中我们透视了日本的命脉。命脉决不好开玩笑的。若非大势所迫，谁愿把寄托着生命的地带作玩火的战场，受战争的靡烂。日本既以在南北两端

[1] *Encyclopedia Britannic*，Vol.4，P.208.

附以南北两翼，在正面当然尤其应当建立它的前卫。因而横滨四国间的突出点的小笠原便穿上武装了。

假定在这样一个场合：美国的大军集中于夏威夷准备长征横滨，一是跋涉三千三百七十四浬的征程，直接进攻；一或沿岛链先达关岛，以阿勃拉为西征的大本营，阿勃拉和横滨只隔一千三百六十浬，事实上可避免远征的疲劳；又一则为两者互取协同的动作，以并进的姿态，夹击横滨。但是在任何一个战略下，美国舰队即或偷渡了日本前哨的视线，然无论如何总逃不过小笠原要塞的难关吧。当远征舰队驶抵离横滨尚有五百余浬的地带，必早已遭遇着小笠原海军的强烈抵抗。美国不先占领小笠原而想直冲日本的心肺似乎是不可能的。所以小笠原与千岛列岛和台湾完全相同，都是本岛的外堡。这三座外堡谁能占领其中之一，谁即不啻伸出刀尖刺着日本的咽喉。

更进，小笠原是日本本部的外堡同时还是整个南北沿岸的外堡。因为小笠原居于军事中心的地位，利用这个中心，千岛列岛和台湾间的联系格外紧切，它们的集体军事活动，左可为迤北一带的堡垒，右可为延南一带的卫星，建立了由北而南的国防长城。

小笠原的前卫任务，在日本握有代管岛以前固然重要，即在以后亦仍然重要。它的军事价值不但不致因为代管岛存在减低而且正因为代管岛的配合反而提高。这是无须怀疑的。

五　美国能攻取小笠原吗？

美国不先占有小笠原便没有方法掠取本岛。因此小笠原不成问题地是美国的一个军事目标了。一九三五年美国海军在夏威夷洋面曾演习过一次攻守战略。关于攻势方面，假想敌当然是东方的侵略者。时旧金山《星期泰晤士报》曾认定此次演习乃“以日本某领地为攻击对象的预习”。《泰晤士报》中所谓“某领地”者，据军事家推测，即是小笠原群岛。白华特想像日美大战过程中，亦说到，当菲岛和关岛相继陷落以后，美国的前哨全部丧失，然她并未放弃进攻日本的意图，于是她采的战略也许是：（一）举全力夺回关岛，（二）冒险直捣小笠原的劳易港。第二比第一的可能性尤大。[1]

本来夺回关岛可能使战局转危为安。若关岛夺回，美国海军便有一开展的形势，在此形势下，日本海军或许要负气一赌最后的胜负，正中美国的心怀。其次关岛洋面的海军活动可能破坏日本的海上交通线。可是关岛既陷，美国欲图反攻得手必要经过绝大的牺牲。第一，日本在关岛预防反攻的工事，一定有巩固的基础；第二，出没于代管岛一带的日本潜艇和巡洋舰无时不在戒备警哨。因此美国与其倾全力光复关岛反不如大举进取小笠原，威胁日本本部震荡日本的灵魂。

那么，美国就能攻取小笠原吗？这是最值得注意的问题。当美国意图向小笠原进袭，劈头一大困难便是航路。什么航路最适于美国攻势的条件呢？普通凡是距离最短，危险率少的航路最好，凡是距离直径的航路最短。合乎此种条件的航路有：（一）自美国西岸北部向小笠原前进；（二）由夏威夷直驶小笠原。第一条是北方航路约四五〇〇浬，第二条是南方航路约三三〇〇浬，后者比前者直径短一二〇〇浬。但是南方航路接近日代管

[1] Bywater：*The Great Pacific War*，Ch.11.

岛，从这条航路出发，中途会遇到侧面的奇袭。美国将采取航程远而危险率少的航路，还是航程近但危险率多的航路呢？

就算决定利用北方航程吧，需知小笠原与日本头等的军港横须贺相去不过五百三十浬，一声警报，增援即至。美国舰队以四千五百浬的长征，攻取以逸待劳的小笠原，谁敢担保美国有绝对胜利的把握？何况劳易港的地理条件早决定了小笠原金城铁壁的形势呵！

六　后卫作用

当一八七八年日本天皇占领小笠原群岛时，该想不到它在五十年后的今日，竟一面是东京湾的外堡，一面还是日代管岛的天然后卫吧。明显极了，当日美之战，日代管岛必为美国进攻目标之一。因为如此，波宁群岛的地位不仅等于夏威夷而且简直等于关岛。我们肯定地认为关岛是菲岛无双的后卫，我们也肯定地认为小笠原是日代管岛唯一的后卫。

从夏威夷到菲律宾中途有个关岛，“亚细亚舰队”

便能在四八四〇浬航程之间觅取一停泊并汇集的根据地。完全一样，波宁群岛介居于横须贺与代管岛之间，使日本海军驶达代管岛之前即有一驻泊的所在。虽说横须贺与代管岛的距离不若夏威夷与菲岛相隔之远，因此小笠原和关岛的军事意义是不可一概而论的。但究其实，自另一视角观察，交通线愈短，行军愈神速，战线愈紧密，策应愈灵捷。我们试一研究：由日本本部到曲克岛约二千余哩，只当夏威夷到菲律宾航程五分二；而到剑罗伊至多三千哩，亦仅及五分三。至于由小笠原往剑罗伊二千四百哩比关岛到菲岛远四百哩；但至曲克岛则只一千五百哩，而比关岛菲岛间的距离却近五百哩。据此距离估量，日本当敌人进窥代管岛之际，而有一小笠原做它的后卫，必因以增强它的抵御力量，支持长久的抗战。这是百分之百可能判断的。

第十一章　南洋代管岛

一　日本的水上长城

南洋代管岛，在平时，固然不过是国联委托日本代管的一群岛屿，而在战时，它们却立刻会变为根据地，变为日本向东发展的主要动脉，那是百分之百可以肯定的。

日本沿千岛列岛经本部而琉球、台湾，构成了一道国防内线，同时沿千岛之北经小笠原以迄于台湾之南，复构成一道国防中央线，有此二线，日本本部国防已可保无虞。但是日本当局的夸大狂，自称亚洲主人翁，高唱东亚门罗主义，一九二〇年以前的国防形势似乎还负不了这种责任。一九二〇年以后日本获以“代管”的名义攫取前德属赤道北的一千四百个岛屿，乃在固有的防线外，重新建立起一座外藩，事实上就是一座亚洲大陆的水上长城。

可不是吗？日本从千岛至本部复引伸至小笠原，由此而东直达代管岛成一“L”字母形，宛若一座长城。长城的一端为寒带，另一端为热带，全长约六千哩。所有亚洲大陆甚至菲律宾和关岛，都在它的后面。

日本有人以为满蒙是向大陆北进的生命线，代管岛是向海洋南进的生命线。掌握了这南下的生命线，所谓远东的门户开放政策则绝无立足余地。因为与其说代管岛为本岛增加一层外藩，不如说为整个亚洲大陆平添一座长城。的确地，日本拥有代管岛便能控制太平洋迤西北部二千哩内的洋面，奠下了经营南太平洋广阔而安定的基础；树立了独霸太平洋的新支柱。

二　怎样变为日本的财产

远在十六世纪的时候，太平洋赤道以北的许多岛屿就已被发见。一五二六年葡萄牙人（Diego Da Ha）曾航海至此。同年麦哲伦亦探险至关岛及玛利安纳。

但迨一八二四年才有法舰（Lacoquill）及四年后俄船（Seniavine）到这一带从事测量工作，勘定了它们的位置。[1]

一八九九年西班牙对美战争失败，将菲岛及关岛割给美国，未几，又将加罗林及玛利安纳售与德国（德一八八五年早占有马雪尔群岛）。一九一四年欧战发生，时日本地位，举足轻重，英日因订有密约，以承认日本占太平洋赤道北之前德属诸岛作为日本参战条件。战后凡尔赛举行和会，不料威尔逊总统竟以坚定的态度，表示反对日本占有代管岛。曾经惹起一场大风波。结果英法为了顾全这位书生总统的面子，乃变通方式，仍然于一九二〇年用国联委任治理委员会的名义，委托日本代管那些岛屿。此种措置不过是对威尔逊一种外交的礼仪，美国自然不感满意。直到一九二二年华府会议，成立《九国公约》，日本承认美国在雅浦岛（Yap）敷设海底电线权，代管岛限制设防。美国才承认日本的代管岛。

南洋代管岛既是国联委托日本治理的，现在日本已

[1] Walter B. Harris：*The South Sea Islands under the Japanese Mandate*，*Foreign Affairs*，7，1932.

经退出国联，依据国际公法，[1]日本应当将代管岛归还国联。然而日本的统治者竟宣言，谁要交出代管岛，日本不惜与谁以战争相周旋。可见代管岛已绝对变为日本强行占有的领土财产。

三　群岛的雄姿

日代管岛共分三系，形如三角。总面积计东西二千七百哩，南北一千三百哩，其中大小岛屿多至一千四百有奇（若连珊瑚礁一并计算，更多至二千二百五十个）。岛屿如此复杂，一望而知它属密克伦内西亚（Micronesia）的范围。

从地质方面分析，代管岛的性质约为三种，即：（一）珊瑚岛，（二）火山岛，（三）珊瑚兼火山岛。第一种珊瑚礁构成的岛，地势低平，出海面仅四点五呎，沿岸水不过深，适好为潜水艇、驱逐舰及轻巡洋舰的天然良港，于洋面附近，还利于敷设水雷，及其他种机雷。岛内平沙一片，滩有小湖，湖周沙岸环抱，陆地和水面

[1] 蒋震华：《日本南洋委托治理地问题》，南京日本研究社丛书五六种。

均能筑为飞机停泊场。就剑罗伊岛言，它是五十个岛屿合组而成的珊瑚岛，高出水面最多不过八呎。它们以弧形的姿势环绕着一个湖沼似的内海。进内海的水道仄狭而渊深，途中有珊礁歧点若干处。入口最宽二百码。海中有设防好了的碇泊场，可停巨型舰队，也可为潜艇的理想所在。

因为全岛的地势低落，沿海左右的槟榔，荫浓密郁，往来的船只简直无从看见它的真面目。所以珊瑚礁质岛的第一特点，便是天赋的秘密。于此秘密的环境中，任何军事设施皆踪影飘忽，不致暴露出来。

第二种是火山构成的岛。岛由火山而成，地势所以特高。像加罗林群岛，高度至少均二百至六百米以上（东部库赛岛［Kusaie］六百五十米）。著名的波雷勃岛（Ponape）竟海拔二千五百八十呎。波雷勃岛卧于剑罗伊岛西八百哩，四周绕以珊瑚裾礁。全岛广十二哩，长十四哩，面积虽不大，随地峰峦重叠，云山绵密。假定崖壁间装置炮位，则每一炮位即一座天工炮台。至于周围十多个死火山岛亦都昂然兀立，矗凌云霄，如筑以炮台，配以大炮，则一岛一屿均属要塞。波雷勃岛直像铁桶一般的坚固。

最后一种岛的构成性是双重的，因此它们形势的天险也是双重的，即兼珊瑚、火山两种岛的特点而有之的。它们一面有优良的港湾可作军港，一面还有险隘的山岭可成要塞。拿曲克岛讲，天然构造，精妙无比。四周为一围参差不齐的珊瑚礁圈，其间六条通航的孔道，随时可能自行封锁。内海里面有伟大的军港和水陆飞机场。曲克岛洋面还散布着春、夏、秋、冬、月曜及水曜等六大岛（尚有数十个小岛），都高约三百六十至四百十五米，是理想的炮垒。曲克岛东离波雷勃四百哩，关岛六百五十哩。它可算日代管岛中优秀根据地之一，可称为玛利安纳及加罗林东部的屏障。

看过威亨《军事辞典》（Wilhem : *Military Dictionary*）的人就知道军事防御有人工的，还有天然的。“天然的防御，包括森林、崖壁、峡谷、暗礁、沼泽等要素，都是阻挠敌人前进的天然障碍物。”代管岛具有的自然要素比威亨所提出的自然要素，实有过之而无不及。所以苏逊海军大将（Admiral Suetsugn）赞美代管岛“是上帝建造的空军传递体，都是天然的要塞和军港”[1]。

四　设防之谜

今日在这些群岛上，备战的情势是异常紧张的。如果有人对日本武装群岛的事实还将信将疑，他不是侵略者的代言人便是一个书呆子。在散奔岛（Saipan）、帛琉岛、贝勒岛（Parry），早就有其广大的军事设施；特别于散奔岛，一些海道的开凿，船泊所的建造，码头的开辟，无一不具有军事的意义。若说一条阔九米，长千六百米的海道及能泊军舰的码头，计费去一百五十万日金（据日本官方的数字）的浩大工程，纯粹为的商业，其谁能信？散奔的飞机场早已建筑，东京贝勒间的航空线亦已完成。其他在曲克、波雷勃、爱纳威顿（Eneweton）、剑罗伊以及吴季（Watje）等岛上，借发展工业为名，积极地开埠头，掘运河，扩充湾港，筑飞机场，还有许多要塞工作我们不得而知，岂不是都带有火药的意味吗？

依据国联颁布的委任治理地条例，依据《华盛顿条

[1] Willard Price：*Japan's New outports The Contemporay Review*，10，1936.

约》明文，日本在代管岛一切的防备都最违法不过的。逍遥法外的日本总是以一个报告敷衍国联，来一篇解释应付华府。但事实胜于雄辩，英《每日前锋报》曾刊载一位舰长叙述太平洋旅途的报告，有一段描写得很逼真："当军舰由英开赴远东，于离英属新几内亚约四百哩光景的曲克岛洋面，因遇风浪，特驶进加罗林避风，忽然发见了日本的潜艇，这样巨型的潜水艇，说不定在曲克岛军港中也有吧。"[1]此不过偶然发见的铁证。日本究竟在代管岛设防了没有呢？悖莱思氏曾用极诙谐的笔调描写：[2]"日本对于游历该岛的客人总算殷勤招待，旅客们每次出游，经常有义务向导，打破旅程的寂寞。在纽约想找警察找不着的人，在此间（指群岛）一定大感满意。出门不到十步，警察必尾随而至，向你谦恭致敬，叩问你的目的地，表示很愿给你种种方便。但结果只是频频摇首，意示某处供应不周不便客人游览。其实所谓供应不周者，不过是暗示的逐客令罢了。国联不是早向日本建议过，要洗嫌疑，最好准许外人自由游历。"

[1] Willard Price：*Japan's Islands Wall*，*The Living Age*，Vol.350，No. 4435.

[2] Willard Price：*Japan's New outports, The Contemporary Review*，10，1936.

国联委任治理委员会，对日本将代管岛军事化的否认亦不敢相信。它曾指出代管岛各项建筑之巨额经费与日本商务所需要的显然不能成正比例，一再要求日本当局解释。国联早不在日本眼里，于今太平洋亦已成为无条约的状态，代管岛的防务当更在一日千里的赛程中。

五　气候生产及人口

代管岛靠近赤道，气候特别炎热，且多骤雨，四季天气，无大变化。如剑罗伊全岛高温度达九十度，低者亦七十九度。雅浦岛的温度全年平均约八十二度，曲克岛夏季温度更经常为九十五度。加罗林群岛的气候比较调和，有丰富的雨量，地质肥沃。如波雷勃岛每四月至十月为雨期，雨期内气候温和。岛上绿树浓荫。总之热带气候的代管岛绝对不像冰天雪地的北极，这一带的海上和空中航线很少受到季节的限制。

日本发展代管岛的工业，近数年来显有进步。只有发展工业，日本在代管岛的地位才能巩固。日本南洋开发公司曾以巨额的投资设置农场、糖厂，开发资源，及垦荒事业（此一项即三千万日金）。代管岛年产磷酸盐约六万吨。当商业繁荣的一九二九年，全岛生产出口计值七百五十万日元。即在所谓以后“萧条”的数年中，欧美各国方以不景气为苦，而代管岛的生产反而大增，出口特盛，计值一千六百万日元。代管岛已完全改装，它不但是日本南进的政治和军事的重心，且还是向南扩张的经济的重心。

日本在代管岛的统治，颇算成功。崇拜日本天皇，信仰大亚细亚主义是当地奴化教育的主要课材。受过此种教育的土人，奴根性一天深似一天。悖莱思曾用一种探试的口吻问土人：“你们愿意德国人回来吗？”“不，我们宁愿受日人治理。”土人这样答。“什么原故？”他紧问着，土人自以为是的答道：“我们是东方人，日本像我们，也是东方人，他们比较能了解我们，所以我们不怕他们。”悖莱思最后提醒他们一句：“你们不希望独立自治吗？”一个波雷勃岛的酋长却回答：“这不可能，因为当独立自治时，酋长们互相争斗的厉害，没有一天安宁，反不若被治的好。”[1]日本统治代管岛有这样好的

[1] Willard Price：*Japan's New outports, The Contemporar Review*，10，1936.

成绩，殊不负国联“文明之神圣信托”（见盟约第二十二条）。

同时在另一方面，日本在代管岛的殖民事业亦有极显著的成绩。她的五年殖民计划于一九三六年期满时，代管岛的人口统计，是：土人五万，德人一百，日人则有五万二千。据解释日本移民末了一年激增三倍。

谁都知道，日本人的生殖率居世界极高者之一，相反地，土人生殖率则居世界最低者之一。日本人与土人且多杂婚，土人终有被同化的可能。所以人口的事实又告诉我们，日本企图永远统治代管岛的野心已彰然若揭了。

六　贸易破坏战

日本拥有代管岛的地理优势，对于太平洋未来大战，将发生莫大直接的影响。在这里首先说明它有关贸易破坏战的意义。

第一，代管岛可能封锁亚洲的全部海岸，结果使欧美所有对远东发生贸易关系的国家都不免要受到贸易被破坏的危害。特别美国至菲岛和安南的航线，至新加坡和东方的交通，格外感到威胁。在平时，美国往印度，一般即从旧金山出新加坡以入孟加拉湾，计程一万浬；但在战时，因为必需避开代管岛的监视，美国唯有取道北美越大西洋、地中海，经苏彝士运河入印度洋抵达孟加拉湾，为程一万五千浬，约多前者半倍。而且后者一带的航路是否绝对安全，仍是一个问题。据历史事实讲，当一九一四年九月欧战正酣之际，德国巡洋舰“鹰滕号”（Emden）即曾利用帛琉群岛中的安格尔（Angaur Harbour）港为根据，进行其在印度洋面的船只破坏。所以活动于代管岛的日本巡洋舰和潜水艇，不唯可能从东经一百六十度截断美国的航线，而且还可能于东经八十度骚扰美国与印度洋间的往来。

其次，美国和澳洲间的贸易亦有被破坏的可能。代管岛中任何一岛都靠近澳洲海岸。帛琉群岛使日本离澳洲近了两千浬。波雷勃岛至澳洲之东，现在只有一千八百浬。日本舰队以波雷勃为根据地的活动范围，当然可能包括澳洲东岸任何部分。同时从夏威夷到悉尼以迄于麦尔钵（Melbourne）的航线离马雪尔仅一千三百浬，即旧金山至新金山（即麦尔钵）的直接航线离马雪尔亦不出一千六百浬，它们又都属于剑罗伊岛控制之范围。

再次，美国南洋间的贸易亦随时有被破坏之虞。以雅浦岛为基点，其南一千五百浬为半径作一圆周，则东自沙罗门群岛（Solomon Is.），大部分经新不列颠（New Britain），新几内亚（New Guinea），济罗罗岛（Gilalo Is.），沿西里伯海，西至爪哇东半部，均在圆周以内。于此圆周的区域，当战时，我们可想像得到，只见悬太阳旗的巡洋舰队横冲直撞，而很少见及扬星条旗的商船。

末了，就算美国与加拿大及南美间的交通，因为毗连着本陆一带固然比较安全，但是亦未许过分乐观了的。代管岛把日美间的距离缩短了二千浬。日本一万吨续航力的潜艇从剑罗伊出发确能出没于美国太平洋沿岸，使往来的船只都陷在阢陧不安的状态中。至于美国本部与珍珠港之二千一百浬的补充航路，根本上即系日本奇袭舰艇的基本猎场。那更无须多加说明的。

七　加强渐减作战的价值

日本在对美战争中所采取的战术，有人以为将是渐减作战的战术，这是不错的。因为只有渐减作战战术，最最利于日本，因为代管岛的形势最好发挥渐减作战战术的精神和效果。现在要问，什么叫做渐减作战战术呢？

日本海军少佐石丸藤太氏有很清楚的解答。他以近取譬说，两人格斗，一开始即倾全力将对方加以突击，致人于死命，谓之直接作战；反之，变更格斗的方式，即避开正面，从事侧击，等待敌人断手残肢，痛苦不堪，而后稍一使力，便完结对方的生命，这叫做渐减作战。[1]这样说来，所谓渐减作战战术，重心在避重就轻，乘虚袭击。此种战术颇能于某定条件下更有制敌的把握。试以日俄战役作说明。当时日本海军舰云集，从千岛列岛以迄于台湾，日本构成一道远隔海参崴之外的警哨线。而俄国“波罗的海舰队”绕经一万三千浬的航程，企图解救海参崴之围，但是俄国舰队驶达太平洋后的动定无时不在日本哨线监视之中；它们愈驶近至东海以北，日本的哨线亦愈形向北严密，简直没有让它们接近海参崴

[1] 石丸藤太：《太平洋戰略の上がら，見た南洋委任統治領の重要性》，日文《世界知识》，一九三六年五月号，七〇七——七〇八页。

的机会。日本舰队以沿海参崴一带的哨线为据点，实行邀击、截击和侧击，使俄国海军主力与日决战之前，精锐即已逐渐丧失，等待正面会战，便无法支持。结果俄师败绩。

未来日美大战中的南洋代管岛与日俄之战中的千岛列岛和台湾，具有同样的地理意义。而且于今代管岛洋面有昔未曾有的潜艇和飞机增强侦察的力量，代管岛益为合乎渐减作战战术的运用。那是想像得到的。

八　轮形阵线的破坏

代管岛的地理形势既利于日本采取渐减作战的战术，还利于破坏美国所拟定的轮形阵线。轮形阵线是美国参谋本部花多年心血研究的战术创作。为求渡洋作战的绝对安全，美国舰队的编制、针路、速力以及阵势都取合乎轮形的意义。在此阵形下，所有舰队主力的位置，敌人无法辨识，可能减少被遭邀击的可能。但是这种阵线，由于代管岛的存在，失去它的特效。第一，假定日本没有代管岛的场合，日本空军便无从就近侦查敌人舰队的行动，尤其是复杂的轮形阵的行动。日本的航空母舰纵能驶至代管岛的所在，俾适于飞机某定限度内的半径行动，侦察敌情，但是对方亦有航空母舰，对方的海空军决不会坐以待毙而要加以追逐，加以破坏。代管岛中的各群岛都是日本的天然航空母舰，又都是日本最适当的、最临近敌人阵营的航空母舰，它们上面的空军，当然特别飞行得自由，容易侦察清楚轮形阵的复杂形势。

其次，要知道，轮形阵本身有优点，也有弱点。优点是严密和紧凑，弱点则是复杂和笨重。阵线如复杂，一经侧击，不紊乱则已，一紊乱便紊乱不堪。因此我们承认轮形阵线的周备，同时不得不怀疑它的罅隙。例如轮形阵的巡洋舰行列周围约一百二十浬，而使用之巡洋舰不过十二艘，其间各隔十浬之遥。于此十浬宽的罅隙状态下，敌人的潜艇和驱逐舰昼间固然无法活动，但当黑夜，若说也不能突破行列，潜入阵内，那就是主观的见解。轮形阵线的构成，除作战舰队外，还附有一些司接济、修理等赘累的特务舰队，所以万一不幸阵线发生破绽，紊乱的情形必致不可收拾。代管岛以地理之优势可能给轮形阵以横腹的破坏，可能造成轮形阵的紊乱局面。

九　美国攻略代管岛的可能性

但是代管岛究竟在两种情势之中亦能成为美国进攻的目标。即:(一)日美战争一开始，美国即取攻势,(二)日本在初期取攻势，美取守势；但至第二期，前者改攻为守，后者改守为攻。依据形势观察，如果菲律宾和关岛的防务已经强化起来，美国最初的战略也许即是攻势的。美国也许一面利用西部的两大前哨牵制日本部分的主力，一面即由夏威夷西进直袭剑罗伊岛。但是像现在的前哨，防务空虚，军备松弛，它们将决定第一期会战美国采取守势的战略。不过当第一期战争失利，前哨相继沦陷，待第二期作战，美国则必转守为攻。这一攻势的中心对象便为小笠原群岛或日代管岛。[1]

夏威夷离马雪尔二千四百哩，中途岛离剑罗伊一千八百浬，不论从前者或后者，都可能作有效的攻击。那

[1] Bywater：*The Great Pacific War*，Ch.13. Denlinger&Gary：*War in the Pacific*，P.245-246.

么，美国的星条旗就一定能飘扬于日本代管岛上吗?

从珍珠港或中途岛进攻剑罗伊要塞，得手以后，军事告一段落，当即肃清内部，构筑工事并扩充交通线。一俟布置妥善，第二步进攻计划开始，美国海军挺进八百哩，便能直扑波雷勃军港。波雷勃前四百哩为曲克岛，这是争取确定胜利的最后关键，是日美两国在代管岛的决斗场所。假定美国夺得曲克则西太平洋乃在美国控制之下。

战略的形势可以判断美国攻取代管岛的胜利。第一，夏威夷代管岛间途中所有的只是美国的踏足石，绝无日本的根据地，不会遭遇侧击或突击的危险。

其次剑罗伊横滨间的距离比剑罗伊珍珠港间的距离远。在这一带作战使日本战线拖长至三千哩，日本海军易于疲惫。设若日舰受伤，必驶回三千哩方有修葺的机会。这样一来，菲律宾和关岛所有的若干弱点亦即是代管岛的弱点了。因为菲岛和关岛的弱点形成的日本的优势军事形势，亦即等于因为代管岛的弱点形成的美国的优势军事形势。同时日本所有的优势能夺取菲岛和关岛，则美国的优势又曷尝不能占有代管岛？我们这一观察，该不是凭空的臆断吧。

第四篇

英国在太平洋上的军事地理

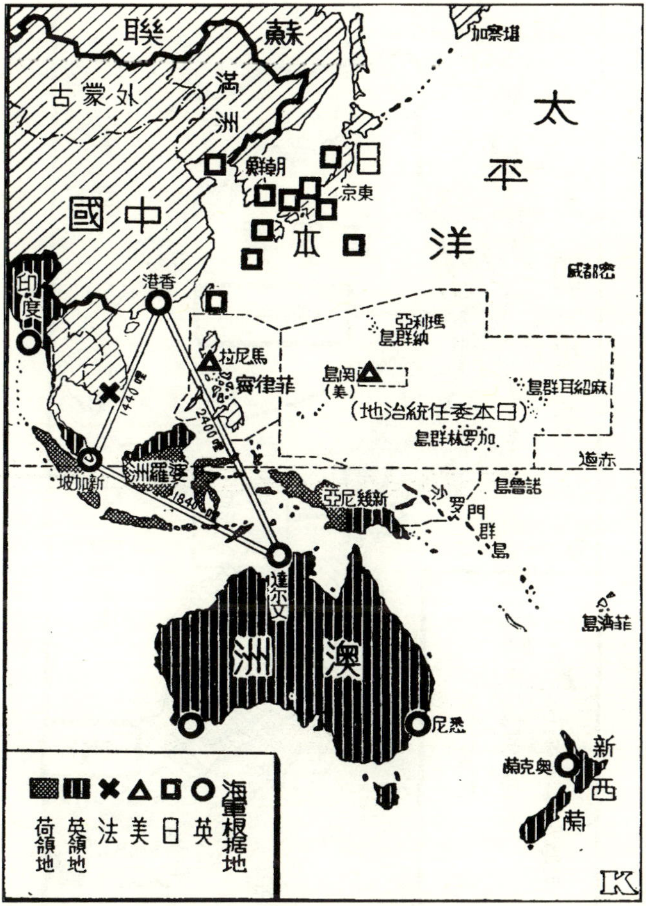

蘇聯
外蒙古
滿洲
朝鮮
日本
東京
中國
太平洋
堪察加
印度
香港
馬尼拉
菲律賓
馬利亞納群島
關島
(美)
(日本委任統治地)
麻紹耳群島
加罗林群島
赤道
新加坡
婆羅洲
新幾尼亞
所罗門群島
諾魯島
1440哩
2400哩
1840哩
達爾文
澳洲
悉尼
斐濟島
奧克蘭
新西蘭
海軍根据地
英
日
美
法
英領地
荷領地
K

达尔文港形势图

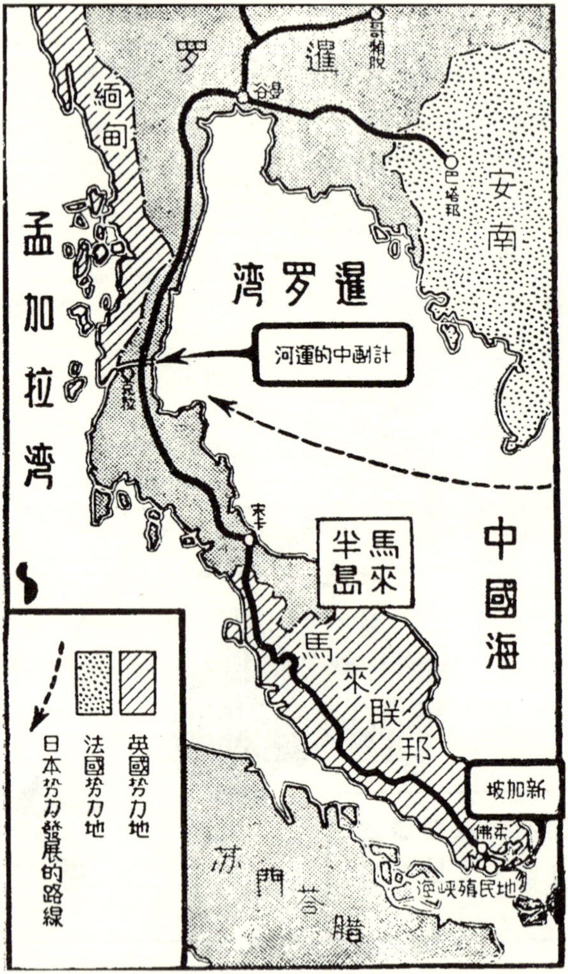

暹罗
哥賴脱
谷曼
緬甸
巴塔邦
安南
孟加拉湾
湾罗暹
河運的中劃計
克拉
中國海
馬來半島
馬來联邦
坡加新
佛來
海峡殖民地
苏門荅臘
英國势力地
法國势力地
日本势力發展的路線

新加坡与克拉运河图

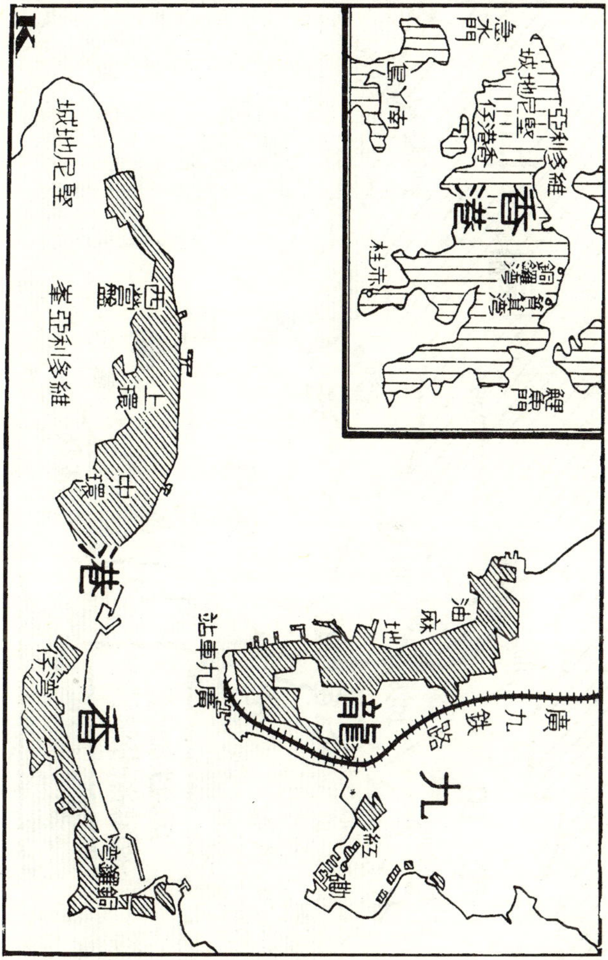
堅尼地城
西營盤
上環
中環
維多利亞峯
香港
灣仔
銅鑼灣
九龍
廣九鐵路
油麻地
廣九車站
紅磡
維多利亞
堅尼地城
香港仔
南丫島
急水門
赤柱
筲箕灣
鯉魚門

香港形势图

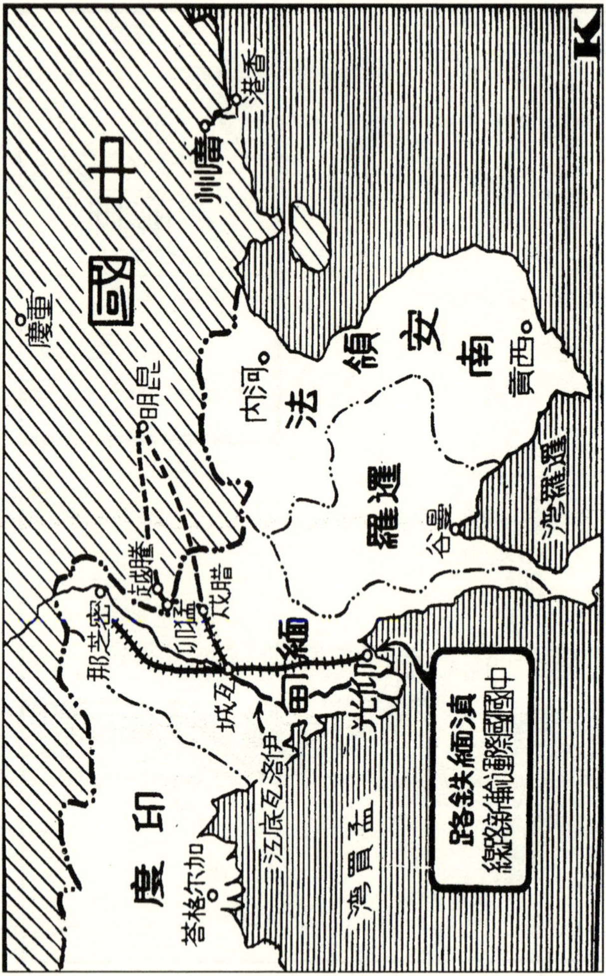
中國
重慶
昆明
廣州
香港
法領安南
河內
西貢
暹羅
曼谷
暹羅灣
緬甸
臘戍
瓦城
仰光
密支那
騰越
伊洛瓦底江
印度
加尔各答
孟買灣
滇緬鐵路
中國聯絡新輸送路
K

英法在印度支那半岛图

第十二章　太平洋英国军事根据地的一般形势

一　英国与太平洋

英国是大西洋的国家。以大西洋的国家在太平洋上建立了军事根据地，她与太平洋的关系则首先值得检讨的。

谁也知道，英国虽位于大西洋之西，然而海上王国的大不列颠帝国殖民地遍及全球。从利物浦经大西洋达直布罗陀而地中海而印度洋而太平洋，蜿蜒万余浬的东方航线一带，英国拥有广大的殖民地。不列颠帝国在太平洋东北岸，有面积三六九四八六三平方哩的英领加拿大；南岸则又有面积二九七四五八一平方哩的英领澳大利亚及一〇三四一五平方哩的新西兰。在太平洋领域中英国复拥有许多属地（如英属马来联邦、海峡殖民地、香港及九龙新界等），及委托治理地（如新几内亚东北部、沙罗门群岛北部、俾斯麦群岛及萨摩亚西部）；而且，计面积一百八十万方哩之印度，其地理虽不属太平洋范畴内，但从政治上着眼，印度也要作为英国沿太平洋殖民地之一环。这样，无论太平洋的天涯海角，很少找不出英国的领土。

同样地，就经济观点分析，于太平洋商品或投资市场上，英国早奠定其根深蒂固的权利基石。广大的贸易，普遍的投资，这里无须多引数字来表现太平洋上英国的经济势力，单说远东方面，英国对华的投资即超过任何国家。她目前正如美国一样，企图利用各种方法防御日本帝国主义排挤她们在华的经济地位；这是谁都了解的。

其次，太平洋的原料亦成为英国输入的大宗。太平洋生产运往英国的物品中，计有百分之九十是橡皮，百分之八七是羊毛，百分之八六是硝酸盐肥料，百分之七一是锡及百分之二五是流质燃料。如此种种对英国供给之重要性，我们用不着多加说明了。所以无论从政治或经济两方面去观察，英国与太平洋间确乎存在着一种不可分离的关系；岂只不可分离而已，以海洋为生命线的不列颠帝国视太平洋当不啻为她的生命。为了保卫海上的生命线，英国在地中海经营了一些军事重镇；[1]那么，在太平洋上英国拥有军事根据地，而且目前正在强化这些根据地，该是相因而至之事了。

二　内防线

如其将太平洋列强军事根据地的一般形势作比较的研究，最明显地，英国部分与日本及美国部分间，一方面有它们相同的意义，另一方面却存在着它们各异的内容。譬如说，日美两国在太平洋上根据地的形势，可分为三道防线，即外防线、中央防线及内防线；而英国的根据地呢，一样具有这三道防线的形势；所不同的只是它们不可一概而论的内容。

拿内防线讲，英国的内防线要算三道防线中最优秀的一道防线。它是合澳洲之达尔文港（Port Darwin）、

[1] 请参看拙作《地中海上的军事形势》，《东方》杂志三二卷二四号。

悉尼、佛内门特港（Frementle）及新西兰的奥克兰等军港构成的。虽然它们之间的重心在达尔文港，其余的军港，仅具军事的雏形，但如果它们一一都加以经营，借平行赤道三千余哩的荷属东印度做屏障，则这道内防线确乎有相当的雄健。可是像美国的内防线，有阿拉米打为轴心，有巴拿马运河与布列马登港形成两翼，还于桑特古居犄角之势；像日本的内防线，以千岛列岛的核枢，左拥台北，右拥基斯加南；都是那样玲珑，那样息息相通，相形之下，英国的内防线并不够合乎理想的。

三　中央防线

荷属东印度一面是英国内防线的屏障，一面还是澳洲新加坡间一道桥梁。由达尔文港过亚拉佛拉海（Arafura Sea）经葡属滞汶岛，沿班达海（Banda Sea）、巽他海（Sunda Sea）、爪哇海（Java Sea），航程约二千余哩，直达新加坡军港。在这二千余哩的沿岸，即是新几内亚和荷属东印度，所以荷印是澳洲的屏障，而新加坡更是荷印及澳洲的前卫。荷印与澳洲都接近加罗林群岛，后者正如一个虎口，前者恰像两块肥肉，若果不是新加坡邻近护卫，老虎到了发威的时候，决无不食肉的道理。

英国在太平洋的国防中卫线比内防线要简当些。从新加坡形势和防备上单独讲，日本的小笠原固然相形见绌，就是美国的夏威夷亦曷尝不有所逊色。可是就一般形势分析，小笠原不只是小笠原，它右有台湾，左有基斯加南，互为呼应，互为联系；夏威夷亦不只是夏威夷，它左拥萨摩亚，右拥阿留申，互相策援，互相脉络；然新加坡则只是新加坡而已。一般形势上太简当，太孤立。

四　外防线

我们紧紧注视着地图，由新加坡朝北一看，或者由日代管岛西南部一看，最惹人注意的则是香港。香港坐落在中国南部大陆的边缘，是英国的远东根据地，亦即是英国在太平洋的外防线。

这一外防线的内容亦复简当的。美国的外防线是以菲律宾或关岛为中心，以荷兰港或荷兰港和旁哥旁哥为两翼的；相仿佛地，日本的国防外线亦以加罗林做中心，马雪尔及玛利安纳做两翼的；但是以香港及九龙新界构成的英国在太平洋的第一道防线，很明显地，但具外防线的意义，而没有它们那样复杂的内容。

五　三角形的国防阵线

英国在太平洋的国防线内容比起日美两国的确实薄弱。但是从另一综合的观点考察，即是把三道防线作联系的考察，将鼎足而立的香港、新加坡及澳洲各画一条直线贯穿起来，那么，英国的国防线是以不等边三角形的姿态出现于太平洋的。这种连接的、脉络的、灵活的三角形，其边缘即是香港和澳洲线二二四〇哩，香港新加坡线一四四〇哩及新加坡澳洲线二一六四哩。这较之美国的大三角形阵，即巴拿马阿留申线六四二〇哩，巴拿马夏威夷线五四〇〇哩，夏威夷阿留申间二四〇〇哩，则前者三角形阵的底边长不及后者最短之一边，而后者的底边却高出前者底边的长度二倍以上（二点〇八倍）。所以英国在太平洋国防线的形势与其分作三道防线，不如总作一三角形阵的观察来得格外綦切，格外有意义。

英国在太平洋军事根据地的一般形势从上面的分析可以知道了。不过仅是这样的分析，并不够给我们了解太平洋英国军事形势的全面。我们应进一步把上述的诸根据地在下面再作个别的探讨。

第十三章　澳洲达尔文港

一　侵略者之窥伺

东方的侵略者已经燃起了远东的烽火，如果它这次杀人放火的行为没有受到惩罚和制裁，那火焰甚至要蔓延及太平洋，澳洲便亦有变为焦土的可能了。

澳洲国富殷实，地广人稀，对于东方的侵略者早怀戒心，所以它一贯的国是即为“白人澳洲主义”。亦可谓为“澳洲门罗主义”。但是高揭“东亚门罗主义”的日本，深深知道“门罗主义”的意味，澳洲所采的政策，不啻就是她南进的闭门羹，而她特别感到焦急。日本企图在人口膨胀的烟幕弹下积极向南推进，沃野千里的澳洲当然是她的目标之一，澳洲的闭门政策，在侵略者的眼光中就太不合外交的礼仪。日本人想，人口密度，在澳洲每方哩一六六人，在日本每方哩二八七八人，前者是沿太平洋上人口最稀少的国家，后者却恰恰相反而是人口最密集的国家，因此后者向前者的移民活动，并不违反尊重国家主权的原则。澳洲太大了，许多土地尚未开拓，若说听任太平洋上，有的国家拥有广阔的幅员，随意荒芜，不事生产，有的国家却闹着人口过剩，土地恐慌，世界未免太不公平了。日本上下觊觎澳洲的野心，早已毕露。在不久的将来，日本也许要坐着人口膨胀的推进机向澳洲跃进。

二　地势及气候

澳洲是一个岛陆。它是地球上最大的岛屿，但是最小的大陆。东西长二千四百哩，南北宽一千九百七十一哩，面积约二九四六六九一方哩，海岸线长八八五〇哩，约每三三三方哩面积有海岸线一哩。这是诸大陆中最小的一个比例。

就地势讲，澳洲沿海一带平行着巍峨的山脉，边境四周地势特高，形成一围大陆外圈。外圈以内，土地凹下，像一空碗。它北部有渧汶海、亚拉佛拉海及托列斯海峡；东边有太平洋；南边有巴斯海峡（Bass Strait）及南冰洋；西境则为印度洋。澳洲的东北尤其北部适为军事的重心地带。

澳洲东部去萨摩亚二三五七浬，夏威夷四四七九浬，为了保卫新南韦尔士（New South Wells）的安全，悉尼军港与以建筑了。悉尼同时是澳洲的首都，即新南韦尔士的门户。此处有船坞，有燃料库和修理厂。澳洲在布列士帮（Brisbane）还构筑有空军根据地，昆士兰（Queensland）亦有所凭借了。关于西部的要港系佛内门特，它与维多利亚（Victoria）的亚得来港（Adelaide）相隔仅一三五三浬，成为西南部的屏障。最后特别重要的是北部达尔文港。达尔文港与日代管岛相去咫尺，与荷印更只一苇之隔。幸而它前面七十哩的洋面，珊礁纵错，俨如碉堡。[1]港内形势险隘，能泊巨型舰队，居高临下，使敌人不易跨越雷池一步。

澳洲大陆位于离南极二十八度，赤道十一度，各区气候特异。一般的情形是南部属温带气候，北部属热带气候，

[1] *Encyclopedia Britannic*，11th Edition，Vol.2，P.942.

西部为地中海式气候，东部为中国式之气候。至于中部则一致干燥，平地及草原皆靠近热带。我们不妨参看各邦的情形,[1]如昆士兰半近赤道,气温极高。从十二月至翌年二月亦为七十度。平均雨量高者年约六十到七十吋。

新南韦尔士有三种不同的气候：沿岸区域平均夏天气温北部七八度，南部六七度；冬天五二度到五九度。

从沿岸到台地，气温立刻变迁，南部冬天四一点四度，夏天六五点四度；北部夏天六七点七度，冬天四四点四度。悉尼雨量平均年约五十吋。

南澳大利亚位于经线二十六度，气温情形，完全不同。最冷六、七、八三月，平均为五三点六度，五一点七度，或五四度。夏天经常高达百度，气候干燥。亚得来港平均每年一百二十天落雨。

西澳洲气候特别，全年分为两季，每年四月到十月为冬季或湿季，其余为夏季或干季。冬季多暴风暴雨。

澳洲北部是全热带，除沿岸台地有些微凉意，余多天气酷热。在达尔文港一带，正、二两月雨量特多，平均年约六三吋。

---

[1] *Encyclopedia Britannic*，11th Edition，P.946-947.

三 防务现状

澳洲联邦的国防力量，一向就不大充足。海军微不足道，仅万吨主力舰二艘而已。陆军据一九三五年统计共不过三万六千之众，计步兵一万二千，骑兵四千，炮兵四千，余都为预备役。空军更特别薄弱，士官和飞机驾驶员一共不到一千位。以如此单薄的军力，要防备一个大陆是不够的。英首相格来斯顿曾暗示澳洲当局说，国防落后的国家绝对享不到自由；因为自由特权与自由负担是不可分的。要享受自由的特权必须负起自由负担。自由负担是自由特权的可靠保证。

近年来东方强盗对中国的压迫给予了澳洲一个教训。日本渔船屡次破坏澳洲西部领海的主权，日本南海公司企图租借荷属新几内亚一三七〇〇〇亩的土地，而新几内亚是澳洲的脑髓，愈使澳洲上下寝食难安。于是澳洲的国防充实论者陆军部长譬尔爵士的国防补充计划（一九三六年八月哈瓦斯电）便得到举国一致的拥护了。

所谓三年国防计划，业已实施，各重要军事要港已都在构筑中。特别达尔文港，要塞的建造，炮位的设置，空防的增加以及港湾的开扩，无不在兼程迈进。澳洲联邦一九三七年度的预算比前年度的国防预算益增一七九二〇〇〇镑，计为八八〇九〇〇〇镑，这要算该邦有史以来最大的国防费。

依据三年计划，除一般军港的设施外，第一则是加紧陆军的整理，如新训练步兵二师，骑兵三旅，炮兵四团，及混成旅四旅。各种部队均已机械化。其次扩充空军当更刻不容缓。教练驾驶人员，增辟飞机场，建造水陆飞机根据地，在澳洲北部亦有突速度的进展。最后海军方面已有若干艘正在建设。海军建设虽说是小规模的，但是英国驻澳的大队舰队已日有增加。英国来往于澳洲新加坡间的军舰计巡洋舰十五艘，敷设水雷巡洋舰一艘，航空母舰二艘，驱逐舰十七艘，潜水艇十五艘及装甲炮船四十艘。和平时期即有如此配备，保护航线，乃至应付非正规的战争，确有余裕。等待三年计划完成，母子国的海军打成一片，原来薄弱的澳洲国防却渐渐未可小视了。

四　天然宝库

从整个太平洋英国国防大计考察，澳洲联邦所负的任务，主要的是完成国防三角阵线的建设，供给帝国的精锐陆军部队，接济帝国的战争资源。

澳洲的主要国富:（一）农业生产——计有二千五百万亩的森林，一千二百四十四万九千亩的耕地，年产麦一万万三千三百七十万布席尔（Bushels），年输出量仅次于加拿大，占世界第二位。澳洲有羊一一四〇〇九九四九六头，牛一三五一二一五六头。羊毛生产占世界总产量四分一，独占了世界羊毛市场。（二）矿产方面，澳洲为世界主要产金国之一，每年出产占世界总产量四分一。澳洲西部二千呎及三千呎的高原即产金区域。以一九三四年为例，于价值一二七一六六二六一九镑矿产总额中，有六五四五三六七〇〇镑便是金矿产的价值。[1]

新南韦尔士及破山（Broken Hill）还有丰富的银矿，

---

[1] 耕地及羊毛生产数字见 *World Almanac*，1937，P.599。麦输出数见 *Economic Handbook of the Pacific Area*，P.85。金产量见 *Encyclopedia Britannic*，llth Edition，P.951。*World Almanac*，同上，P.597。银产量见 *Encyclopedia Britannic*，同上，P.952。*World Almanac*，同上，P.597。*Economic Handbook of the Pacific Area*，P.533。铁埋藏量及生产见 *Eco. Handbook of the Pacific Area*，P.481。锡铅生产见 *World Almanac*，同上 P.597。石炭生产见日本世界景气研究会译《世界市场战》三三页。其他矿产见 *Encyclopedia Britannic*，同上，p.952—953。人口见 *World Almanac*，1937，P.590。

年产共约一〇四三四千安思（Ounces），占世界总生产量百分之四，居太平洋各国第四位。

澳洲的铜矿埋藏量约四百六十万吨，年产一四九千公吨；铁埋藏量既知者二六〇二百万吨，可能量四三〇〇〇百万吨，年出产约五四六一六〇长吨，埋藏量占太平洋第四位，比日本朝鲜合藏量高二十倍以上。

至于其他矿藏的每年出产，如锡值七四六九九七镑；铝值二九二二六八五镑，石炭埋藏量一三四一〇亿吨，褐炭三六三〇亿吨。

新南韦尔士和昆士兰有锰（Manganese），水银及钛（Titanium），前者还有白金，碲（Tellurium），锌及镍（Nickel），后者还有钨（Wolfram）、钼（Molybdenum）等矿。再维多利亚亦有锰和血砒（Arsenic）。

五　守卫作用

澳洲北部有达尔文港，西南部有佛内门特港，但是它们相去太远了。澳洲西北部，在未来日英战争中将一定成为敌人进攻的目标。正如石丸藤太于其著《日本应与英国战》一书中所假想的，如果进攻达尔文港不易得手，则西岸的德倍（Derby）便一定成为日本变更战略后第一个攻击对象。

前面指出过，日代管岛把日本澳洲间的航程缩短了一半。驻帛琉群岛的日本舰队驶至达尔文港不过二千浬，我们既有理由承认日本可能利用代管岛进攻夏威夷，我们就更有理由承认代管岛可能进袭达尔文港的力量。

但是澳洲北境的天然门户，今日不在昆士兰而在新几内亚。新几内亚距约克角（Cape York）仅九十哩，在它上面英国已建筑飞机场数十处。澳洲的西北部门户，亦可谓不在达尔文港或佛内门特港而乃在荷属东印度，和英属马来。新加坡和泗水可称为澳洲不可破的前卫。日本如果进攻澳洲，首先必须经过新几内亚或新加坡，即云偷过了这两道关隘，近达尔文港洋面还有许多天然的碉堡，强化中的达尔文港决不至一攻而下。新加坡海军的声援，便足以解澳洲之围。所以石丸藤太也认为：在未消灭英国在太平洋的海军，占领其领海以前，休想占据澳大利亚及新西兰。

达尔文港不但可能保障澳洲，而且还能保障新西兰。奥克兰距离悉尼一千三百浬，这两位兄弟国当然彼此是互相庇荫的。本来，新加坡、荷印及新几内亚既为澳洲的前卫，亦即是新西兰的前卫。不过地理决定了母国的军事重镇尽保护子国的待遇，不能平等。新加坡和达尔文港已嫌过远，新加坡新西兰间相隔五千三百浬（至威灵顿）约前者一倍以上的距离，更为远了。因为距离的远近，军事效率上便有绝大的差别。军事战略论者，公认夏威夷的舰队阻止不住日军夺取菲律宾，那么，我们可判断新加坡的舰队亦阻止不住日军夺取新西兰。新加坡之于新西兰无异珍珠港之于菲律宾，同样是远水救不了近火。唯独有了澳洲，达尔文港可能担任奥克兰的前哨，警戒由西北而来的敌人，同时悉尼还可能负起后卫的任务，如果剑罗伊的舰队南下攻袭新西兰的北角（North Cape）。

达尔文港可作为新西兰的前卫，一样也可作为印度的前卫。自负为亚洲主人的日本如坐视其猖獗，总有一天要和英国的命脉开玩笑，抢取英国的印度。到印度的路线：（一）自大西洋经好望角；（二）由地中海经苏彝士运河；（三）从太平洋一经马来海峡，一经澳大利亚。

第三条路线为日本进窥印度比较可能的唯一路线。而这一条路线若沿新加坡前进亦复是不可能的，所以只有绕道澳洲才是那唯一可能的路线中一条唯一可能的支线。因而武装后的达尔文港乃是印度在太平洋的前卫。它使印度和新加坡的海军格外强有力。它与新加坡共同建立起保卫印度的太平洋铁壁。

六　两大三角阵线的连锁

我们已经特别指明过，英国是以三角的阵势出现于太平洋的。香港战略上有它的弱点，太接近日本，尤其台湾，反之，它与新加坡却有较远的距离。呼应既不便利，联络也感松弛。香港的军事工程，目前尚未达到理想的完成。就讲新加坡，它与澳洲间的交通中途须经几处海峡，从新加坡军港出动的舰队能说不遭遇到敌人潜艇及飞机的伏袭吗？要减少香港及新加坡的弱点，澳洲达尔文港就有强化之必要。达尔文港强化起来，香港及新加坡的防卫力量始因以发挥，达尔文港亦益增巩固了。要了解其中的原因，则应该了解因此达尔文港所连锁起来的三角阵线。

所谓三角阵线，是如此形成的：以新加坡为基角，则左角为香港，右角为达尔文港。英国军事形势因此三角的运用，作用乃特别宏大。譬如有香港及新加坡而缺少达尔文港，则是一个直线形，直线形的战略意义，只是单纯的前卫或后卫。但在此直线以外若配合着其他一点，由此向各点申引一线，即构成一三角形势，这三角彼此之间，军事上则互成犄角，互相连环。就是假定敌人进袭香港，新加坡的海空军便能立驰赴援，自不用说；同时英国由印度洋东航的后援舰队亦能驶入达尔文港，径行北上，策应赴援的新加坡海军及空军，与敌人的舰队决战，以解香港之围。采同样的战略，英国可以夹击围攻新加坡的敌人，可以保卫遭敌人直接进攻的澳洲及新西兰。

更展开世界地图研究，我们还可以新加坡为核心，向南伸一线至澳洲，向西伸一线至印度，复由印度向东南伸出一线及澳洲，于是防卫印度的三角阵形又构成了。

目前从英本部经印度到新加坡，澳洲及新西兰的航空线已开辟了。新加坡水上空军根据地，布列士帮及奥克兰两空军根据地都早有过孙台丸斯号（Centaurus）飞船的足迹。这些根据地都可谓为帝国航空线最大的环节。从英帝国乘飞机至印度需时五日（将来可缩为二日），至澳洲十二日（将来或可缩短至八日）。[1]所以澳洲达尔文港在第二大三角防线的运用上，有时可能成为海空军的总汇，可能成为英国东来的海空军的传递体。

[1] 一九三八年一月六日路透电，见广东《英文日报》。

第十四章　新加坡军港

一　英国的生命线

英国一共有五条（约八千浬）海上交通线，其中四条是大不列颠的动脉。在此四大动脉中最主要的则要算东洋航路，即自苏彝士运河以东至太平洋的航路。这条航路可谓为英国海上生命的生命。

东洋航路既有若是之重要，为了保护这一航路的安全，新加坡军港便建造起来了。英海军副司令佛利查氏十三年前在下议院讲到："如果香港没有，新加坡也没有，那么，我胆敢预料英帝国什么都完了。"新加坡军港可说是英帝国交通的枢纽。

事实是这样：英国从地中海到东方约一二〇〇〇哩，而于此辽长的航线上，除马尔太（Malta）军港外简直没有其他重大的军事根据地。但普通现代的军舰第一要维持速力效率，其次还要保持刷新阵容，为了适应这二大要求，军舰每年必需油船一次，且不时入坞修理。因此若在一万余浬的航程中竟无巨大的军港，和巨型修船坞，平时航行都感不便，战时作战当益有困难。所以英国若无新加坡，则帝国舰队的活动必受到限制。苏彝士运河的交通亦必有被封锁的危险。

只有新加坡军港的建立，英帝国在太平洋的属地乃获有所保障，同时地中海与印度洋的咽喉，亦赖以安全。新加坡之重大性于此可见。

二　地势气候及人口

新加坡系英属马来半岛的一州，故我们叙述新加坡的地势，首先应述及英属马来半岛。英属马来位于印度支那半岛的东南部。它是向南突出偏东的狭长半岛，北接暹罗，南隔麻拉甲海峡与苏门答腊遥相对望，东为暹罗湾，南滨中国海。它行政上的区分是：（一）马来联邦（The Federated Malay States），（二）马来保护地（Malay

State），（三）海峡殖民地（State Settlement）。海峡殖民地共分三州，新加坡外，还有麻拉甲及槟榔屿（Penang）。

新加坡居马来半岛的南端，形势宛如马来联邦的舌尖。它与柔佛州（Johor）隔着一条宽不及半哩的柔佛海峡，峡上因有火车铁桥衔接，使孤岛似的新加坡接连着大陆。新加坡在另一面，借新加坡海峡的水道，又与荷属巴坦及宾谭（Batam，Bintang）两岛交通往来。这海峡约九哩阔，潮低时水深四十呎，为海军云集的所在。当远东的警号一旦传来，所有期待着修理和补充的舰队必以最活泼的姿态进出于这条海峡。

新加坡岛长约一〇四哩，宽四八哩，总面积三百方哩，海岸线共不过百哩。全岛平面小山纵横，如西南部之谭梅山（Bukit Timah）要算群山中之高者，亦不及五百呎。岛之西南岸，珊礁环立，北岸丘岗起伏。森林满山满谷，海水渊深，锚地阔大，形势险要，最合乎建筑要塞和海空军根据地的条件。

岛中天气炎暑潮湿，四季温度无大差别。三月气温最高达九十二度（华氏），十一月气温最低亦有七十二度，普通均约八〇点三度。从十月到四月末间，多北风及东北风，五月到九月间，则多南及西南风。风速平均为一百米，五月最大为一四八米，十二月最小为七六米。其次雨量年约一二九点六四吋，正月雨量最盛为一五点二三吋，五月雨量最少亦有四点九八吋。根据十年平均统计，每年落雨天约一八二日。

英属马来的人口，据一九三四年的数字，为四四一三八三〇人中，有土著二百万以上，华人一百六十四万余，印度人五十九万六千余，欧洲人一万九千三百余，亚欧混合种一万六千九百余。百年以前，新加坡只有几个渔村。自一八一九年拉发尔爵士（Sir Stanford Raffles）以很小的代价从柔佛酋长购得新州以后，不到二年即建为商埠中心，于今已发展为一大城市，成为世界巨大商港乃至军港之一。人口由一万激增至五十万，华人竟多至三十五万，约超过当地土人五倍以上。[1]

三　橡皮及锡产最多的区域

英属马来半岛有高达八千呎的山脉，矿产蕴藏极

[1] 天气统计见：*Encyclopedia Britannic*，Vol.24，P.147.

富。地质土壤亦至为肥美。农业生产大宗为橡皮、咖啡、西米以及染业所必需的槟榔膏，尤以橡皮著名世界。一八二六年英国战败荷兰，夺取马来半岛，时岛上瘴烟丛林，今日已是一碧万顷的橡皮树。以一九三四年数字为例，它有橡皮园三一三四七九八亩，计产橡皮四五九八三六吨，约占世界总生产额百分之九五以上。依一九三四年七月《世界橡皮生产协定》（International Rubber Regulation Committee Agreement），限制马来橡皮最高生产额，一九三五年五三八〇〇〇吨；三六年五六九〇〇〇吨；三七年五八九〇〇〇吨；三八年六〇二〇〇〇吨。马来橡皮园约十分之八以上是英人的财产。

英属马来半岛冲积层间的矿藏，以锡为最，为世界产锡之主要区域。计每年锡产约占世界每年锡产总额五分之二。一九三三年，产额为二四九〇五吨。据一九三一年三月国际协定规定锡产限额，英属马来七一九四〇吨，巴尼维亚（Bolivia）四六四九〇吨，荷印三六三三〇吨，尼几尼亚（Nigeria）一〇八九〇吨及暹罗九八〇〇吨；英属马来的锡产额约占太平洋锡产总额百分之七四点七。[1] 英国在俾拉州（Palau Brani）和新加坡均建有大规模的炼锡工场。英属马来锡矿有一半是华人经营的。

四　军港的规模

新加坡在一八八二年还只是一个海军贮煤所而已。一九二一年筑港计划才开始实施。一九二五年英工党登台，工党素以和平相号召，故筑港工程曾一度中断。迨一年后，保守党内阁复活，各项原议继续推进。一九三一年暴日疯狂地燃起了远东的烽火，新加坡军港的建设程序益突飞猛进。去年“七七”以来的中日战争，尤其日本占领华南的企图使预定一九三九年总竣工的军港，不得不于今年的现在提早完成。全部经营历十四年之久，耗资共达二千万镑以上的东方直布罗陀，已于本年二月廿四日，即新洲海陆空军大演习结束后六日，举行隆重的开幕礼。

[1] 橡皮及锡生产数字见：*World Almanac*，1937，P. 591。国际生产协定见：*Economic Handbook of the Pacific Area*，P.203。

新加坡军港有三大主要特点：（一）伟大的修船坞。新加坡有两种修理巨型军舰的船坞：一是水上浮船坞，长八五五呎，阔一七八呎，可能将五万吨现代战斗舰举出海面，与以修补。一是陆上修船坞，这是新近落成的，新洲总督汤玛斯爵士命名它为英皇乔治第六船坞。此坞长一千呎，阔一三〇呎，深八十呎，同时足容巨舰三艘。五万七千吨以上，舰幅阔达一百二十呎的战斗巨舰，亦可驶入修理。坞全属士敏土建筑物，工程浩繁，列居世界最大船坞之第二位。（二）巨型的码头。这个码头从新加坡一直伸入柔佛海峡，长达二三三〇〇呎，要算世界有数的大码头。（三）空军港。新加坡所负的使命是海军的，同时还是空军的，其东北部二哩的夏勒特尔村，英国已费金百万镑建筑为一个航空港。该项工程至为精巧，港中深水码头能系泊各型飞机，为远东空军港之冠。夏勒特尔村是一个很小的村落，但因为空军港的建筑，钢铁防空网的敷设以及广大兵营住有六百皇家空军战士，亦充满着军事气象。

新加坡还装置有许多轻便的海军根据地，亦未可忽视的。北部的明南拉克半岛，泽隆岛及位于新加坡与泽隆之间的尼哥巴诸岛都是几个主要的根据地。

新加坡的海空军根据地彼此皆有公路和铁道网相互联系。新加坡与英帝国的交通有无线电台和航空。它的无线电能与英本国海军部交换情报达二十四小时久的能力。同时新加坡为英帝国民用航空的中枢。离它两哩地的借兰（Geyland）已是英荷间，乃至欧亚间定期邮航的总站。

除了在新加坡有海空军根据地的建立，英国于接近马来半岛地带还筑有飞机场二十五座以上。于塞锐韦克（Sarawak）及英属婆罗洲亦作同样的布置。一些巨大的飞机库、火药库、修理厂以及机械仓库、贮油池，多数像飞行场一样，皆建筑在山洞中。新加坡有一规模宏伟的造船厂，其中的车房、舰棚、仓库、工厂、起重机及发电厂，若干亦在地下建筑的。

沿海岸线，高射炮及装配十八时径的主力炮阵地随处皆是。主力炮能发三千三百磅的大炮弹，能控制二三十哩的海面。新洲现驻有第五、第七、第八及第十一等重炮队和高射炮队。海军军容则有第五巡洋舰队六艘，第八毁灭舰队九艘，航空母舰鹰号，水雷舰冒险号，第四潜艇队潜艇十五艘及军需舰五艘。空军经常驻有重轰炸机队及飞船队，各项配备均极完善。汤玛斯总督在举行新加坡揭幕礼时曾致词谓："新洲军港乃和平之最大保障。系排除战争的保证物。"在检讨新加坡军港的规模之后，我们觉得他这句话一点也不夸张。

五　属地的堡垒

若是我们从荷属巨港（Palembango）到香港交一直线，同时到新西兰亦交一直线，然后再用一线联络香港和新西兰，结果构成一大三角形。此三角形内的土地系分属于英、美、荷三国。它们三国在太平洋的政策，最主要的是维持均势及现状。欲求此种政策之贯彻，新加坡、马尼拉、香港、泗水及达尔文港诸根据地便与以建立。当然新加坡军港的使命特别重大。

新加坡距离香港一四四〇哩，菲律宾一三四三哩，荷印首府巴达维亚五二五浬，爪哇一八八七浬，达尔文港二一六四哩，所以新加坡在太平洋不特足为英帝国属地的屏障，而且还是荷属东印度及菲律宾的可靠庇荫。

新加坡握太平洋战略交通的关键，同时亦握有印度洋战略交通的关键。它位于澳洲印度间的交通线上，离印度首府加尔加答（Calcutta）一六四六浬，而英国在印度有六万万镑巨额的投资，在印度洋年有十万万镑的航业贸易，英国能否保护马来亚以西的帝国属地就要看它能否掌有新加坡的锁钥。

东方的侵略者如企图进攻印度，其航线一是绕道澳洲，但绕道澳洲距离过远，而且澳洲达尔文港业经强化，殊属不易。一则取道马来海峡，当新加坡筑港以前，荷属苏门答腊既未设防，这是一条极捷径极安全的航线。可是现下新加坡军港完成，马来海峡在新加坡以及其附近海空军监视之下，随时皆在封锁的状态中，日本海军要想越过马来海峡真比上天还难。从而可知新加坡不但是太平洋属地的堡垒，而且还是印度洋尤其是印度的门户。

六　新加坡有被陷落的可能吗？

但是新加坡是以舌尖的形势突出于太平洋，位置上不免过于向外暴露，在不宣而战的场合，很有被袭取的危险。的确地，马来半岛迤南伸出已经暴露于外，新加坡更在马来半岛的前面，附近没有任何掩护和屏蔽。不是北有香港遥为呼应，它简直成为一个伶仃的孤岛。要是香港不幸被人占领，南中国海给人控制，则台湾到新加坡不过一千六百浬，台湾的海空军配着帛琉群岛的空军，很可能夹击新加坡的。

新加坡是日英战争中决定胜负的关键。石丸藤太氏[1]预测日英战争曾指出新加坡在两种情势下会丧失的，即：第一，日本用迅雷不及掩耳的手段先陷落了香港；第二，当战争爆发开始，英国的主力尚在印度洋东来的途中；从亚丁湾（Adin Bay）驰至新加坡至少须程十日，而从台湾进攻新加坡的海军却只要三日就得了。在七天以内，日本舰队已有充分的时间取得新加坡或婆罗洲的据点，同时还有余裕在麻拉甲、巽他、峇厘（Bali）及龙目（Lombok）等海峡配置轻便的海军与援军以突击。此时英国准备作不合算的牺牲则已，否则最聪明的策略英国只有以退为进，但是如果大队军舰退守于达尔

[1] 石丸藤太：*Japan Must Fight Britain*，Ch.5.

文港，则包围新加坡的计划易于成功，新加坡的前途就只有听诸天命了。

这位海军政论家立论似乎是颇为客观的。他很主观地判断英国将一定失败，但其结论乃建立于上述两种前提之下。不过他究竟犯了两种不可否认的错误：（一）他估计英国在太平洋的军事力量，没有把太平洋英国军事根据地的内容一并加以估计，因此他的估计很粗糙，很肤浅。（二）英国在太平洋的三角阵线有连环性的作用，而石丸藤太却只个别地看到香港、新加坡、达尔文港，不认识与新加坡、达尔文港同时存在的香港，与香港、达尔文港同时存在的新加坡，及与新加坡、香港同时存在的达尔文港。武装中的香港决非一攻而破者；和平象征的新加坡公认为俨若一座铁壁。以日本海空军进攻我国初未设防的吴淞炮台成绩言，若说七日的时间能攻克有新加坡及达尔文港支援的香港并包围新加坡，那真是太大胆的幻想。

退一步讲，设使石丸藤太的假定果成为事实，短时期内香港失陷，英国主力在印度洋以西，新加坡即被包围，英国在太平洋的军力因暂无后援当然比不上日军的雄厚。可是日本就算控制了洋面而却控制不了空间。于今从英本国航空到新加坡费时不过七天半。新加坡的空军加上印度空军的增援当能与日本空军实力相捋。新加坡是否有被陷落的危险？我们固不必武断。新加坡区轰炸演习的结果可作有力的说明。

一九三七年二月一至四日，新加坡曾举行过一次大规模海空军操演的题目。这次操演，即测验当敌人以海空军协攻新加坡时，它现有的实力和防务，是否能作有效的抵抗。

演习的阵容分攻守两军。攻者为蓝军，守者为红军。双方兵力的情形是：海军以蓝军占优势，空军则红蓝相等。红军方面于一月六日接得非正式情报，谓：距新加坡东南一千二百浬的蓝军将不宣战袭取新加坡。十二日复接精确的情报，云：蓝军由战斗舰、航空母舰及输送舰组成远征舰队，决于月底开始活动。此时红蓝两方各奉有命令。蓝军只许在离新加坡二百浬距离附近始能施行袭击。红军则动员原有的飞机潜水艇侦察敌情，进行搜索。此时攻军的困难在如何择地登陆，守军的任务则在轰炸并袭击敌舰，阻止敌军登陆。

据总监部的评判，这次演习，蓝军失败了。蓝军虽然进行突击颇为得手，小规模的军队曾在新岛附近登陆，可是因为红军的空军能以最大的运动力，超过最大的空间，与各地空军取得密切联系，完成斥堠、侦察及轰炸的任务，使要塞司令部获得精确的情报而能判断敌军的动作一丝不错，及辨识敌军的企图应付自如，卒粉碎了敌人登陆的计划。

最近新加坡军港举行落成典礼前亦有一次演习，其过程虽因军事秘密并未公布，但据路透社探悉，仍然是守军胜利。我们批判过日本进攻夏威夷的困难。地理的事实证明日本进攻夏威夷既感困难，则日本进攻太平洋上第二夏威夷的新加坡，当亦必更感到困难。隔海远征一座要塞，决不似想像那样容易。新加坡的前途，是绝对乐观的。

七　攻击的精神

我们对新加坡的形势，不但守势方面抱乐观的态度，就是攻势方面亦觉得有莫大的希望。英国利用新加坡能否袭击日本，但要看新加坡有无集合一个英国超等舰队，这问题如其是肯定的，新加坡的军事活动当然未可限量。石丸藤太氏也承认，当英日开战初期，英国的海军力设能在战斗舰和航空母舰方面获占百分之三六至百分之三八之优势，A 级巡洋舰占百分之二六优势，B 级巡洋舰占百分之二五优势，[1]新加坡便立刻可成为一个攻势的根据地。

新加坡到日本长崎（日本与欧洲最接近的口岸）二四一五浬，台湾一六六〇浬，帛琉群岛一二〇〇浬。这些距离用战略的话来解释，帛琉正当新加坡舰队行动半径之内；台湾离开此行动半径亦不过百浬；比较远的是长崎约出该行动半径九百浬，但新加坡长崎间的距离还不及夏威夷横滨间的距离之半，我们既以为夏威夷的美国舰队可能直捣日本的心脏，则新加坡的英国海军又曷尝不能攻取长崎呢？

英国的潜艇舰队，以新加坡为主要的根据地，以荷属纳土纳群岛（Natuna）及英属婆罗洲为临时据点，便可消极地探悉日本海军的动静与敌舰主力以奇袭；积极地，它们的活动还可能伸展至日本海截断日本与朝鲜的

[1] 石丸藤太：*Japan Must Fight Britain*，Ch.4.

交通。尤其空军不但能消极地担任侦察和搜索的工作，而且还能积极地轰炸日本的重要工业城市和各种防御工程。总之，英国的主力东进可一举而占领帛琉，北上第一期可攻台湾，引诱深藏于台湾海峡的海军出动应战，达到歼灭敌舰的目的。如攻台湾得手，台湾长崎间只一〇七六浬，第二期利用台湾为支点，香港为后卫，则直冲日本本部的理想大有实现的可能。

八　大包围形势之配合

从太平洋军事大地图观察太平洋的军事大势：第一我们看见美国在太平洋的一串根据地，如马尼拉、关岛、珍珠港、桑特古、阿拉米打、布列马登以及阿拉斯加、阿留申、萨摩亚等，形势参差错纵，形成全长一万五千浬的不等边三角形，把偏处于太平洋西北隅之日本的诸军事据点，自东、南、北三方面远远地包围。其次最容易使我们见到的，即：在太平洋西部有伟大的新加坡军港，在东太平洋又有巴拿马运河无比的军事重镇，前者握太平洋的西部入口，后者扼太平洋之东部咽喉。依照东经一一〇度之子午线的世界地图，[1]即就子午线与纬线的交叉点上观察巴拿马与新加坡间的距离并不怎样过于辽远。从而我们可以判断日本的军事地理形势不仅受到美国诸军事根据地的包围，抑且还遭遇到英美两国的军事共同封锁。在此共同之大包围中，“瓮中之鳖”，恰好是日本的写照。

再就太平洋之空间言，新加坡是英帝国航空线的焦点，尤其是英国在太平洋航空干线的焦点。由不列颠经印度而新加坡北达香港，南沿澳洲，延展至新西兰，它

[1] 一般研究大陆与海洋位置的地理学者辄用半球图。半球图是将整个地球型沿各子午线中择其西一〇度及东一六〇度两线分割开的图形。至一般普通地图因为要保全大陆的位置免除大西洋航线的被割断，乃以格林纬治（Greenwich）子午线为地图之中心点，其划分之子午线为一八〇度。此种划分法固然便于处置时计，但从地形学方面观察，倒不若划点在西一六〇度子午线为优，因为后者位置颇处于太平洋中心，可使南太平洋诸岛与澳洲不至分离。然而它们都不能作为我们理想中的军用地图。太平洋的军事地图应以西经七〇度为划分点，只有这样划分，结果才能使地图的中心恰位于东一一〇度子午线之上。这一一〇度子午线适处联络印度洋及太平洋以西之南印诸海洋之中央部分，此种划分始绝对无碍于太平洋的交通，印度支那半岛与澳大利亚洲才分明地出现于地图之上。东经一一〇之子午线，欧战后因《华府条约》中曾限制美国不得在一一〇度之子午线以东各地设防，常为世界所注意。

们之间的空中交通，构成了大不列颠帝国间的航空网，新加坡便是这道航空网的支柱。我们知道美国已建立其横渡太平洋航空的干线，即从美国经旧金山火奴鲁鲁，沿中途威克两岛，而关岛而马尼拉最后与香港衔接。同时这一干线自夏威夷经豪兰等岛过萨摩亚复与奥克兰联络。因之，英帝国航空线与美国的横断太平洋航空线可能结合起来形成更广大的航空网，遮蔽着太平洋的天日。在此伟大之航空网之笼罩下，日代管岛固消失于无形，即整个日本帝国亦为此阴影所威胁了。东方的侵略者一步紧一步的侵略，终将造成英美两国加紧合作的条件，而自掘其坟墓了。

九　新加坡的隐忧

太平洋和平的象征新加坡军港，当然给予日本帝国主义莫大的刺戟。当该港尚未完成的时候，忽然有一种传说，日暹亲善的结果，日本在暹罗已获有开辟克拉地峡（Isthmus of Kra）的权利。“九 · 一八”以还，日本企图称霸太平洋，静悄悄地把势力伸至暹罗，谋攫取开辟该地运河的权限，最大的作用，即在威胁新加坡军港。

克拉地峡阔不过二十五哩，土地冲积松软，最易开凿。地峡左右，水平都海拔七十五米，若凿成运河并用不着建造水闸。它离新加坡北不过六百哩，形势上它能影响新加坡的交通。譬如克拉运河能缩短太平洋与印度洋间的航程（快船只须三日）。从锡兰（Ceylon）到香港若经克拉运河比经新加坡要近六百哩。因而新加坡的商业价值完全将被强夺。新加坡若是没落，大英吉利和荷印亦将消失于世界市场。日本的棉织物将因低廉的运费更泛滥于印度近东及非洲一带的广大市场（因近两日或三日的航程），使兰开夏（Lancashire）的纺织工业受到空前的打击。因而新加坡的军事前途亦受到巨大的影响。考新加坡军事价值的重心原寄托在它是印度洋及太平洋间的唯一门户。前面指出过，麻拉甲海峡系联接中国海与彭加尔湾（Bengale）仅有的直接水道，这个广袤的海湾，在新加坡护卫下不啻等于英国的内湖。一切由中国海进出的船只，未得新加坡的允许，便无法通过。但是如果克拉地峡筑成运河，新加坡的控制力量就显然减低。军港坛形（Bottle Neck）的优势地位，势将完全被破坏。香港新加坡间联络亦必被截断。总之克拉运河可能断送新加坡军港商业的和军事的前途。所以英国海军舰长李德氏（Captain Cunningham Reid）曾在下议院于讨论克拉运河时，用警惕的语句讲："克拉运河若果成功，马来亚的军事形势将大受影响。今日我们在马来亚的形势好比金字塔的塔尖，新加坡则是一个塔基，在塔基上再不容建立任何塔尖。我们应牢记在心，巴拿马运河完成所给予西半球军事上的重要影响。"[1]

英国现正加紧注意并提防克拉运河计划的实现；万一实现，英国为了减少它的威胁，事先已在维多利亚角（Victoria Cape）建筑了一个航空站，俯瞰着克拉地峡的西面，在该西面入口处英国还武装了它的属地——圣玛秀小岛，克拉运河正在这岛上大炮射程之内。

近年来开辟克拉运河的消息已趋于沉寂。也许因为英法两国的暗中阻梗，东方的侵略者不得不暂时敛迹。但无论如何日本终有旧事重提的一天。不过因为克拉运河的作用太大，一旦动工之日或许即是英日太平洋大战开始之时吧。

[1] William J. Roman：*The Kra Canal*：*A Suez for Japan*，*Pacific Affairs*，9，1936.

第十五章　香港

一　远东的滑铁卢

香港与新加坡一样，同属于英国在太平洋军事地理上极重要的一环。在这里我们首先请说明香港的经济地位。香港是世界第七大商港，海运业异常发达。世界商港进出的船舶数量，纽约居第一位，伦敦、神户、上海次之，再次则是香港。在香港进出船舶的吨数有一年多至五千三百余万吨。即以一九三四年数字看，于四四〇四三艘船只总数中，英船占四八二四艘，计一二〇五三〇八七吨；而是年上海船只出入不过七三一一艘，约合四八一〇五点五七一吨。[1]

从不列颠帝国对华南部诸行省商业的角度以观，香

[1] *World Almanac*, 1937, P.590, 592, 626.

港尤关重要。汇集于香港的原料及商品可沿珠江、广九路和其他公路输入广州，再经粤汉路转入华南各内地，同时那些内地的矿产，农作物则又可循此交通集中于香港运往海外。

香港乃一自由港，是世界的，但特别是大不列颠对华贸易的转口核心。在一九三六年，中国全部对外贸易计有百分之七点五经过香港。香港因中国对日抗战和沿海遭遇敌人封锁，发生的作用更大。据美商务部的材料，一九三七年十月间，美国商品输来中国价值跌落到共计一三八八千金元，约合去年同期总值（去年十月间计四二六七千金元）三分之一。但美国货物输往香港的数字却从一九三六年十月七五三千金元，增至一九三七年十月四〇一六千金元。从美国对华贸易经香港转口数量之激增，可想及一般国家对华贸易之经香港的数量亦必增加。香港的经济地位益见抬高。

香港的繁荣最惹日本侵略者的妒嫉。在港日侨民有一次举行座谈会，冈本等曾表示香港的发展，“至堪忧虑”。还有名治田者更警惕着说：“预料今后香港将垄断华南所有的贸易。英国若以充分的资本和技术，于香粤间一带建设工业，则英国资本将把华南整个控制住。关于这点，日本不能不大加警戒。”[1]

同时另一方面，当日本占领上海并准备进攻华南的过程中，英国内舆论亦极关心香港的命运，并抱有绝大的戒心。最近日本攻夺广州，占取海南岛，直接固可以袭击我国的后方重镇，间接亦直等于逼香港成为死岛。英国香港当更有唇亡齿寒之感，东方侵略者眼中的英帝国，是老大无能，犹如十八世纪的西班牙一样，已走上没落的阶段。英国的现实外交不过是退让的外交而已。然而英国的退让是有一定限度的。作为远东发祥地之香港，是一颗英皇冠冕上最辉煌的宝石。英国怕流血就把它放弃吗？不，决不，在东方的战魔积极地向太平洋迈步的于今，香港也许将要成为远东的塞尔几瓦（Sarajeva），成为远东的滑铁卢（Waterloo）吧。

二 地势及气候

香港居于南中国海之西，孤岛伶仃，只占我国地理

[1] 冈本等:《日本在港居民座谈会》,《改造》，十二月临时增刊号。

的弹丸地位。它长约十一哩，面积三十二方哩，遍布花岗断岩，海岸蜿蜒层垒，高达七哩。海港都阔十哩，且极渊深。岛之四周环绕皆山，山峰有海拔一千八百呎者。居高临下，形势天成。

不到一百年前，香港不过是渔人栖息之所。一八四二年鸦片战争后，满清政府将它割与英国，这个“不毛之地”自经资本主义化装，乃成为优良的商港和军港了。

香港对岸为九龙半岛，其间相隔不及半公里，它们形势互成犄角。新界东北有噪林鸟小港，东有吐劳港，吐劳港有海峡，形势险隘，可泊巨舰。新界东南还有喜比喜云港，地形凹入，为一天然避风港。自然配置好了香港和九龙是分不开的。所以英国夺取香港之后并不感到满足。英远征舰队司令郭永泰（Sir Hape Grant）及印度舰长赫尔（W.K. Hall）等于数年后复主张合并九龙。结果一八五八年英法联军之后，英驻粤领事派克思（Harry Smith Parkes）即以私人名义租借九龙。一八六〇年十月二十四日，《北京条约》成立，四英哩之九龙尖端遂由私人租借一变为公开的变相割让。其后法国租我广州湾，英乃将九龙全部占为己有。今日香港和九龙新界皆直隶于“直辖殖民地”（Crown Colony），香港总督即其政治中枢。它们共计面积三九一平方哩。[1]人口约百万，其中百分之九十九系我国同胞。

香港及九龙附近一带的气候，每年分歧点约从四十五度到九十九度。潮湿季节系五月到八月，其间雨无间断。每年雨量本有定期，平均约达九〇吋。[2]

三　武装的成绩

香港的设防工作原已进行，自一九二二年成立《九国公约》，该项工事始受到限制而入于睡眠的状态。一九三五年日德同盟的阴影，笼罩着整个远东局面，使香港从梦中惊醒。卒然宣布一个五百万镑的庞大防务计划。到于今设防程序快已达到完成的阶段。香港是英国最值得保有的战利品，她当然要用强有力的臂膊来保持的。

武装中的香港，有几个特点：第一是要塞林立。据可靠的情报，香港东水道有两座炮台，其一于鲤鱼门北

[1] 香港面积及总面积数字见：*World Almanac*，1937，P.592.

[2] *Encyclopedia Britannic*，Vol.13，P.658.

岸 Devil's Peak，其一则在南岸 Saiwan Hill，旁临着香港的柴湾，从事警戒的工作。至西水道方面，湾竹洲石匠岛（Stone Cutter's Island）上更筑有炮台六座，它们的主要作用则侧重攻势。再看港内，香港北端有北部炮台；九龙东南端之红庙和黑头山亦有炮台多座，赤柱另造有新炮台一座，它们共同护卫着全港的安全。以上许多要塞都装置于最合乎战略要害的地方，所配备的武器如赤柱炮台装有重炮三门，各炮每分钟可发重达三百磅的炮弹一枚，射程远及十五哩，炮位坚壁为壕，中有机械室一，能精算敌舰的速率、角度及炮弹射程。炮有炮管升降，放置炮弹灵活自如。香港每个山谷当然还有许多秘密炮台，不是一般局外人所能窥测的。

其次，是海军建设的推进。香港许多海军仓库和军事工厂都有极紧张的工作。每个旅行香港的人，近两年也许均有一共同的印象，即当船抵码头廿分钟之前，我们的耳鼓就完全被两岸的金属锤击声所震动了。船愈驶愈近，声音亦愈震愈烈。寂静的山头在震荡空气中，已不复有寂静的存在；而悠悠白云仿佛不是白云，乃是充满火药的气焰。

香港的船坞可能同时寄碇英国远东舰队最新式之二十五只军舰而有余。浮船坞亦能容纳任何巨型舰入渠修理。在各军事要冲，现驻有航空母舰、驱逐舰、补助巡洋舰、敷雷艇及扫雷艇；此外还驻有潜水艇，这是保护要塞的特效武器，所以英国在太平洋的潜水艇有一半驻集在香港。

第三，香港增防最精彩的一幕要算防空。为了避免空袭的恐怖，防空的一般设备并不足稀奇。唯香港的空防独具其特点，值得特别提出。全岛的防空网是听音机和高射炮相互发生机械的联系而构成的。普通高射炮要想击中一架飞在高空的飞机几等于“中头彩”，委实不易。但香港的高射炮是盒子式的，即在某定战略区域内划定若干立方体，该一立方体为一立方哩，于此一方哩内，设置若干四吋口径的高射炮。敌人飞机的位置、速率、方向及高度，都自动地由听音机决定，又由机械自动地通知某个盒子以内的高射炮，立刻发出密集的炮火，使预定之数立方哩内的空间充满着弹实，结果这一区空间连一个小麻雀都会被击落下来。

英国的皇家空军（R. A. F.）军力在香港像在新加坡

一样已大加强化。著名的启德（Kai Tak）航空根据地即泛美和帝国航空的终极总站。依据最近公布之国防白皮书，英国在新界、锦田、八乡复筑有广大之民用航空站，内中包括有飞行场、机库及贮油库。机场面积宏大，同时可容飞机五百架，四周环山，重要建筑物均在山洞里面。其次在锦田和夏村及其他各地，英国另拟建筑更伟大更理想的航空站六座。据报章所载，香港目下至少有三百架飞机，可供临时动员。

最后，军事交通的建设，在香港亦有猛进的成绩。于今它已是两大空中航线的会合点。满山满谷的公路一望无际。每个军事根据地，都有交织点的孔道为之联络。无线电台已增加多座。尤其九龙某军事要区还筑成隧道，某些隧道竟把香港和九龙衔接一气。这就是说，纵然港面受到敌人的威胁，香港九龙间的交通，仍然有陆路往来自如。一点不致影响。

四　远东第一道防线

香港，前面指出过，乃一座位于南中国海之西的弹丸孤岛，地质上全系花岗断岩，既无蕴藏的资源，又少天然的生产。然而香港自隶属于英国"直辖殖民地"，它便目为英皇冠冕上一颗辉煌的宝石，这最主要的原因，就是除了它本身是英帝国经济命脉之一而外，还有香港无论在经济上或军事上要都成为大不列颠帝国在远东的第一道防线。

从经济方面观察，英国保护远东"利益关系"的支柱，谁都承认要算新加坡。但是若有新加坡而无香港，新加坡的战略价值便立刻减低，新加坡的军事形势对于远东的影响便失去决定的意义了。英国在远东的"利益关系"，于讨论新加坡及本章第一节已约略提及。不过此种"利益关系"究竟达到如何程度？在这里则有详细加以申述的必要。

英国在远东的权益最重要的有超过各国的对华投资，有天津上海及广州的租界。以投资言，据美国尼米尔教授的权威估计，英国在华的投资总数，一九二九年为一万五千一百万镑。再据最近《泰晤士报》的资料，英国在上海一隅的投资即有一万八千万镑，约占其在华全部投资（借款在外）十分之九。一些地产、不动产、银行事业、造船厂、码头、堆栈、工商业以及各种市政企业——自来水、煤气厂、电站、电车和公共汽车公司等，无不显现出英国投资规模之宏大，居其他各国的首位。实际上，英国在上海之投资超过日本的投资（四千四百万镑）二倍半，美国的投资（二千六百万镑）五倍有奇。

其次于航运方面，英国往来于上海的船只亦占列强在沪航运业的第一位。一九三五年英国寄碇于上海的船舶计达一千二百五十万吨。

英国在华的这些权益，势必要建立于军事的基础上而后才得安全。此一军事基础在远东就只有香港。

上海经日本武力占领后，英国在华中的权益，一如在华北的权益都已日趋于风雨飘摇之中。最近日本又攻占广州并夺取海南岛，使香港感到莫大的威胁，英国在远东的第一道经济防线已无形破坏，英国在远东权益的根基将亦为之整个动摇了。

香港是英国在远东的第一道防线，我们还可以进一步从战略方面来检讨的。在太平洋英国三角形的国防形势中，香港的地位仅次于新加坡。如其说新加坡是香港的后卫，而香港则是新加坡的前哨。它们间之关系和作用，正如关岛与菲律宾的关系和作用一样，是脉络的、机动的、灵活的。我们讨论关岛的时候，曾经特别指出，前进的军事战略家大都承认，海军万不可单独倚赖一个根据地，因为军事根据地若只一个，目标太大，敌人便容易准备一种进攻的策略。是偏处马来半岛尖端的新加坡，必需有一前哨以资掩护，方不致感受孤立的危险。香港天然地恰好适合新加坡的这一战略上迫切需要。香港的地理位置足以屏障新加坡，它是英国在太平洋国防的第一线。

五　操纵制海权及制空权

所谓制海权及制空权即是海上和空间的支配权。谁能握有制海和制空权，谁就能保障本国的航运并破坏敌国的航运。破坏敌国的航运，占近代战争中重要的节目。所以军港的最大任务乃在使其驻集的海空军，控制某一空间及洋面的绝对权限。

英国和日本国交决裂之际，前者的东洋当立即会遭遇破坏。台湾屹立于南中国海之东部，驻台湾一些潜水艇、巡洋舰以及各种空防活动范围内，便没有扬英国旗的船只立足之余地。英国的远东通商，自然仅限于台湾海峡以西了。至于日本呢，在英国太平洋三角阵形中，在香港与新加坡的呼应中，日本航行于欧、非、澳的船只必遇到阻碍了。就是日本对荷属东印度的贸易，乃至对中国海内，即对暹罗、安南及华南一带的商业，亦必有被破坏的可能。悬太阳旗的航运业将局限于麻拉甲海峡，甚至局限于香港以东了。

如此看来，横马尼拉海峡及台湾海峡间之中国海和南洋群岛一带之诸洋面，乃为英日两国制海空权之争霸战中的中心场合。香港以位于中国海之北端，地近台湾海峡，南与新加坡获取海军和空军的密切联系。尤其空军，新加坡香港间的航空经安南或西沙群岛航程只需二日。换言之，香港的地利足以扼中国海的洋面和空间。

更进，只要香港穿上了现代的武装，充分发挥它的威力，它立刻可变为攻势的根据地。以距离言，香港离长崎一〇七六浬，东京一千五百浬，驻在的潜水艇、巡洋舰及空军，很可以在东海、日本海随时出现，很可能截断日本与台湾海峡间的往来，以至日本与朝鲜海峡间的交通。特别是空军力量，必要时还可能空袭日本本部，轰炸各主要的都市、工业地带、军港及海军船坞。这直接造成日本后方的恐怖，间接即强迫其主力出动，俾便赶速完成歼灭敌人主力的任务。

六　目前香港的形势

但是香港的地理条件，尤其在日本攻占广州夺取海南岛以后的地理条件，是否就足以应付未来太平洋大规模的战争呢？依据一位海军大将马韩氏（Admiral T. H.Moham）于其名著《海军战术》中所述，大凡海军根据地通常有三大必要条件：（一）险要的形势，（二）可资防守的海军，（三）有供给军需的后方。[1]那么香港是否具备以上三个条件呢？关于第一个条件，我们于第二节已叙述到香港的天险极为雄厚。尽管有些地方它很像青岛，容易遭遇敌人的进攻，例如香港背面的台母斯湾和亚巴丁岛，因为地势不良，设防工作困难门户洞开，

[1] Denlinger&Gary：*War in the Pacific*，P.146.

何等危险。可是这一弱点，最多只能减少若干军事价值，却不能整个抹杀香港地理的优势条件。而且等待香港的武装强化成功，这个弱点便不难克服了。其次，英国驻集于香港的“中国舰队”，力量异常脆弱，比之台湾第二、第三舰队，不免相形见绌。“中国舰队”不能离开大炮射程掩护范围以外活动，应付不了真正决定胜负的大战争。不过这一弱点只要香港能增强陆上的守军，和充实海军的力量，防卫力强化起来，亦不难克服的。香港最感到困难的还是缺乏第三种条件，即军事后方的条件。香港不能比台湾，因为台湾本身有丰厚的生产和资源，更不能比新加坡，因为新加坡附近有英属马来的天然仓库。英属马来固然同时可作为香港的后方，但它们相去一千四百余浬，距离究竟太远了。原来香港最理想的后方，是我国的广东及其邻省，这里有广大的人力，可供香港战略劳动的补充；这里有充分的食粮，可供香港战时的军需；这里还有炼钢必需的三种原料及制造机械和弹实的原料，如在湘、粤、赣间建立重工业地带，更可供香港战时各种军用品。可是这一天然的良好后方，由于英国坐视日本攻占广州而暂告消失了。香港今日的确缺少军事根据地的应有的条件，尤其是第三种的条件。这不能说不是香港的最大缺憾。这一缺憾在平时似无足轻重，而一到战时却有关香港存亡的一大致命伤！

再就一般战略的形势来分析，香港和台湾仅小隔三五〇浬。这是一个很短的距离，这个距离仅及长崎到上海的航程三分之二，乘飞机最多是三小时，坐船亦不过十七小时。但是，香港与其后卫新加坡倒反而相去很远，而有四倍以上的距离。若以每小时十二浬运输率算，其间空中交通尚需十三小时，水路航程则更要三日长的时间。这里告诉我们香港的形势该是如何孤立和危险。我们承认地中海上英国的玛尔太易于受到意大利空军的击袭，便不能不承认太平洋上英国的香港更易于遭受日本空军的击袭。而且日本现已占有广州和海南岛，前者与香港只一苇之隔，后者与香港距离亦仅三百五十浬，香港门前已有台湾一窠蜂巢，今其户后又频添一座虎穴，香港在三面大包围之中直等于瓮中之鳖了。

至于海军方面，香港固然是台湾海军进攻的目标，同时亦还是佐世保海军进攻的目标。设若日本把海南岛建立成为海军根据地，则香港的海军与其空军就同一样的命运，亦处于三面包抄下的形势中了。日本果能抓住最善的时机动员，一面由代管岛出发若干潜水艇和巡洋舰遍布于麻拉甲海峡以东，使从印度洋驶来新加坡的英海军，随时都有遇到奇袭的危险，并由海南岛的驻军截断新加坡与香港间的联络，务期使英国舰队不能在预定的期间，达到它们的目的地；一面出动佐世保和台湾的舰队协攻香港，则香港少许舰队也许不及待新加坡的援军赶到便早被歼灭。

香港的形势，以前就难乐观，现在则更使人感到失望了。石丸藤太早把香港的命运投下一幅极大悲惨的阴影。他以为英日不战争则已，一旦战争，英国在香港的统治，不出两星期便归丧失。又据英海军舰长阿卡喔斯（Captain Bernerd Acworth）著《英国海军与未来大战》一书中亦承认香港防御力之薄弱。并估计日本攻陷香港只要两星期零四天的时间。

这还是就过去的形势来推测的。若依据目下的形势讲话，英日战争若果爆发，英国也许会自动放弃香港吧。假定在日本先发制人进攻香港，而英国的超等主力舰队还留在印度洋的情势下，假定在中英军事尚未做到合作的地步，而日本即已进攻香港的情势下，英日战争下的香港委实是危殆的，英国在达到消耗了日本实力以后，香港也许便会放弃了。

第五篇

荷兰、法国、中国及苏联在太平洋上的军事地理

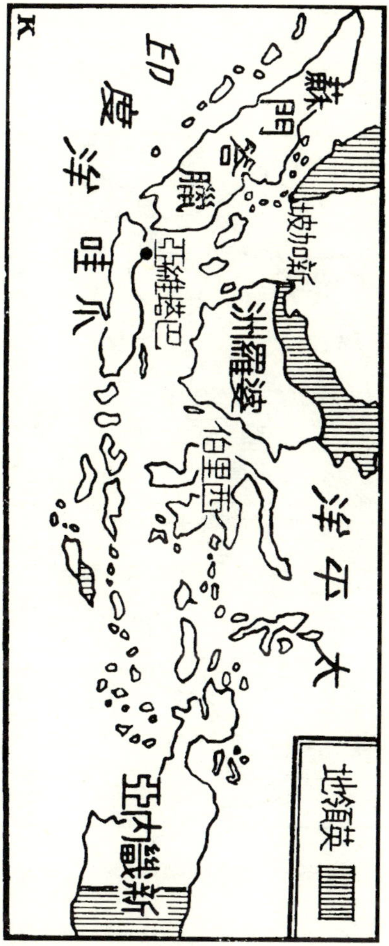

荷属东印度图

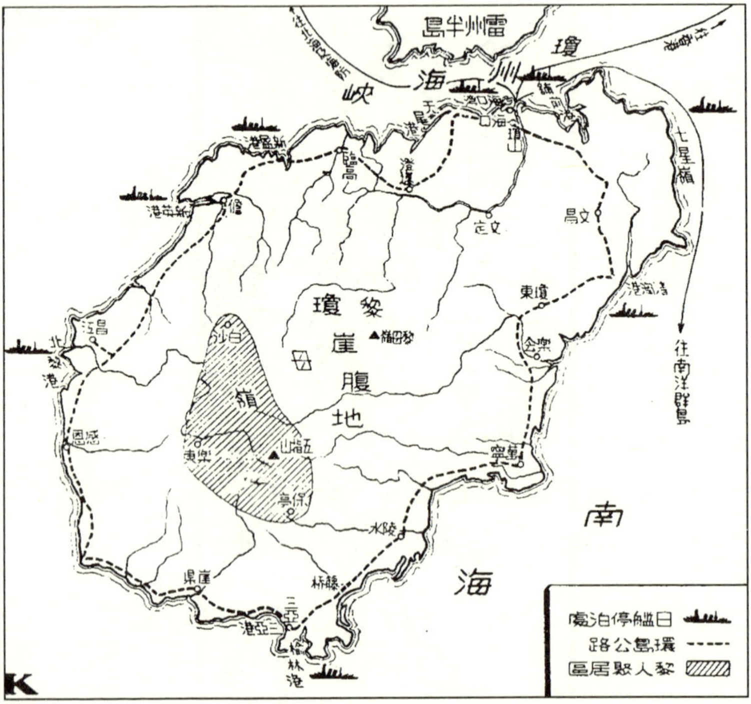

海南岛形势图

第十六章　荷属东印度

一　侵略者的目标

留心国际情势的人们谁都明白，日本眼前所燃起的烽火虽然仅限于远东，可是远东烽火的燎原迟早势必会延烧及整个的太平洋面了。这就是说，现在日本陆军正冒险地以武力推行其北进政策，一般争强好胜的海军亦未尝不在蠢然欲动，待北进政策告一段落的时候所谓南进政策亦必抬头，而香港、安南、菲律宾、关岛，尤其是荷属东印度将立刻要感到不安了。

香港是英国的，安南是法国的，菲律宾和关岛又是美国的，尽管它们都临近着台湾，但是日本进攻这些属地以前，殊不能不考虑到英、美、法三国的海上力量。唯独荷印是荷兰的属地，荷兰海王的光荣，早变为历史的陈迹。于今荷兰对于这一"大过了头的尾巴"[1]，军事方面实有鞭长莫及之感。要不是另有国际关系的牵制，欲窥荷印直等囊中取物。因此荷印乃是日本向海洋发展一个避实就虚的最好目标。

而且依据大隈伯爵的理想，日本将征服印度半岛，西窥巴尔干，俾以统治全欧洲。他所认为这一西进的桥梁，即是荷属东印度，[2]"蜘蛛蟹"（足长八尺，头极小 Spider crab）似的日本如梦想把足伸入欧洲，首先当然需要在荷印立稳脚跟的。

两年以前，荷兰报纸上曾披露过这样一个故事：[3]有一日本军舰寄碇于门纳多西里伯港（Menado Celbes）的东北部，日本水手多人登陆游览，其中一位水手跑进一所附近的学校，在讲堂黑板上画一个日本、中国、菲律宾及荷印的地图，四周围以圆圈，圈内标题着"大日本"三个大字。像此类故事若是实在的，则日本对荷印之处心积虑也就可以推想而知。

---

[1] Van Loon：前书，四四八页。

[2] Victor Yakhontaff：*Russia & Soviet in the Far East*，Ch.23.

[3] Vandenbosch，Army: *Where the Dutch Fear Japan Current History*，January，1935.

日本海军界的领导人物近年以来已经日益坚决的宣传“向南扩张”。在日本海军省指导之下出版的许多小册子与著作，曾公开指出向南扩张的最近对象，就是暹罗与荷属东印度群岛。[1]最近数年，日本在婆罗洲和苏门答腊借广植橡皮的名义企图建造飞机场。日本曾向葡萄牙政府交涉租用葡属渧汶岛（东部）。日代表松冈洋右曾在日内瓦秘密要求荷兰允许它在新几内亚得一租借地，俾在澳大利亚洲附近建立一个悬太阳旗的军事根据地；虽云并未完全达到目的，但是日本对荷属东印度的野心，于此更有事实之证明了。

[1]（一）大巽他群岛（Great Sunda Is.）:（1）苏门答腊（Sumatra），（2）爪哇（Java），（3）马都拉（Madura），（4）婆罗洲（Borneo），（5）西里伯；（二）小巽他群岛（Small Sunda Is.）:（1）峇厘（Bali），（2）龙目（Lombok），（3）松巴瓦（Sumbawa），（4）佛罗勒斯（Flores），（5）松巴（Sumba），（6）渧汶（Timor），（7）沙浮（Sawoe），（8）罗帝（Roti）诸岛；（三）木罗卡群岛（Moluccas Is.）:（1）哈耳马希拉（Halmahera），（2）望涯（Bangaya），（3）阿彼拉（Obira），（4）布鲁（Buru），（5）西兰（Ceram），（6）安汶（Amboina），（7）苏拉（Sula），（8）班达（Banda）诸岛；（四）新几内亚岛（New Guinea）:（1）阿芦（Aru），（2）米索尔（Mysole），（3）维古（Waigeu），（4）撒拉瓦特（Salawate）。

二 地势及气候

荷印位于亚细亚大陆的东南，临近着日本、南洋代管岛、新加坡及澳大利亚洲。以经纬言，约为北纬六度和南纬十一度，东经九十五度乃至一百四十一度。整个马来群岛（英属婆罗洲西北部及葡属溙汶岛东北部在外），及新几内亚西半部都属归荷印的范围。它一共有四大群岛，其间横卧着比它大三倍的内海。

荷属东印度与亚洲大陆给南中国海划分开了。苏门答腊（Sumatra）、爪哇及婆罗洲（Borneo）等群岛则给爪哇、班达以及亚拉佛拉等海所隔离了。爪哇海、班达海乃至亚拉佛拉海地理上东西成一直线，整个将荷属东印度群岛南北对分，成为荷印的内海。因为内海多，荷印的海岸线乃特别辽阔，湾港亦特别优良。

荷印首都巴达维亚（Batavia）有唐崇勃列（Tandjong Priok）海口，是一大商港，同时还是一大军事重镇。在泗水也有一个港口名唐崇勃锐（Tandjong Perak），位置适当荷印各岛的要冲，形势险隘，为荷印的第二良港，亦不失为一理想的根据地。爪哇之南另有一吉拉甲

（Tjilatjap）港，沿岸峭壁雄健，港外为诺萨卡板岛（Noesa Kambangan），其上丛林密布，可置要塞，恰好为吉拉甲港的屏蔽。吉拉甲港要算爪哇侧印度洋岸的头等军港。最后在爪哇中部还有三宝垅、井里包二港（Semarang & Tjirebon），东部则有沓厘林港（Buleleng），它们沿岸的水位虽浅，不能停泊舰队，可是形势优秀，如经过人工改造亦可能成为军港。

荷属东印度面积广阔，横跨赤道南北，气候全系热带，温度一般甚高，无寒暑分别。只有临海滨之区，因受季节风的影响，气候则较为调和。如爪哇地近赤道，昼夜长短相等，但以四面环海，水分充足，其温度从未高过华氏九十六度，亦未低过六十度，季候循环，辄有规律。每年十一月到翌年三月为雨季，其次则为“无定季”，“无定季”时间甚短，过此还有燥季。[1] 爪哇东部燥季适于种植甘蔗。苏门答腊年中雨季则适于栽培橡皮。因此前者又可称为砂糖气候，后者则可称为橡皮气候。

东印度整年无严冬瑞雪，亦无飓风及旋风（Cyclone），这要算荷印气候的特征。荷印虽因热带自

[1] Van Loon：前书，四五〇页。

然现象的变化和亚、澳二洲大陆的影响，亦有所谓模范季风带（Monsoon Region），可是季风带的风力有一定的限度，整齐而有规则。其风速最大者平均每秒为九粎。其等级只“应谓为第三等风”。[1]

三　自然的大仓库

荷印的气候既如此之得天独厚，荷印的土地计百分之二八都是火山造成的，又肥沃至极，最适于农业生产的条件，所以荷印一年之间，可收三熟。以面积长不过六二二哩，阔不过一二一哩的爪哇，竟能维持四千二百万以上的人口生活。东印度真是天富的群岛。

东印度物产之富庶，不仅足够自给，而且每年有大量的生产可供输出。如爪哇及马都拉二岛输出大宗为糖，咖啡，茶，橡皮，锡，石油及石炭。爪哇，苏门答腊及婆罗洲三地所产的石炭年约一一〇七〇〇〇公吨；石油年约四七一三一〇〇〇桶，约合世界石油总产量百分之二点五二；橡皮年约输出二八八〇〇〇公吨，计占世界

[1] 黄素封：《科学的南洋：南洋荷属东印度气候一瞥》，五九页，商务。

橡皮总产量百分之三五；锡年约三四一六二公吨，约占世界锡总生产额百分之二。谁也承认爪哇是世界输出糖的最大区域，年产糖四八一〇〇〇吨，占世界糖产总额百分之十；爪哇还供给世界百分之九九的金鸡纳霜。[1]

四　一个民族问题

荷印的外籍人口，据调查：中国人一二三三八六五；日本人七一九五；荷兰人二〇八二〇九；德人六八八七；英人二四一八，以华人占最大多数。荷印全人口为六〇七二七二三三人，除一四六〇五七四侨民而外，其余则都是土人。土人中有一部分系属于马来西亚系，而大部分则均属于印度勒西亚系（Indoresian）。后者计有五十种以上的种族，其中比较开化的是爪哇族、马都拉族及巽他族。土人人口约计五千九百余万，其百分之六九点一都住于爪哇及马都拉的。

自一五九五年荷兰在东印度设立极东会社，借通商的名义，将东印度占而有之，到现在已有三百多年。但

[1] *World Almanac*，1937，P.683-84；Hoffmann：*Pacific Relations*，P.71-72.

是荷兰的武力只占领了东印度的土地，并未征服当地的人民。所以该地人民的反抗运动早随荷兰统治权之建立以俱来。那些相当开化了的土民的民族解放斗争，迄今已有悠久的历史。

举例来看，一九二六年十一月，土民为求其民族的独立，曾在爪哇发动过一次暴动。后一年一月苏门答腊亦有革命，革命党员二百人竟围攻巫巫拉，与荷兵短兵相接，一时各地土民闻风响应，截断电线，拆毁铁路，收效特大。这次运动虽卒然为荷兰精锐的武器所镇压，捕去的志士在爪哇一隅已有六千之众，但悲壮的牺牲血迹，已在东印度革命史上写了最光辉之一页。

从此而后，荷兰当局即一方面实施部分的改良制度，刷新二重政治，收买所谓高等士人，同时另一方面则厉行其镇压的新恐怖政策，企图以恐怖的手段吓退革命的高潮。但是东印度的民族解放斗争，便如此罢手了吗？不，决不，像东印度民族国民会议议员达麻氏宣言所指出的："党人的革命运动有如海浪一般地，前浪虽退，后浪却愈来愈大的。"

然而荷印土民神圣的民族运动，也许有一天会给日本利用着。近年荷印政府因税收不丰，教育经费减少，土民只有受低级教育的机会，于是有些马来青年多有留学日本的倾向，而日本便切实利用并推动此种倾向，借以勾诱学生亲日，宣传大亚细亚主义。荷印的国民党企求利用日本推翻白人的统治，而日本则企图利用该国民党奠定其南侵的政治、经济和军事的基础。因此日本和荷印土民的结合是很有可能的。荷兰议员一次于殖民地会议席上曾攻击土民国民党向日本“卖弄风情”。[1]荷兰当局对此当然不能不有所戒备，然而戒备只是徒然的。荷兰当局还是与国民党妥协来抵抗外来的侵略吧。

五　防务之充实

最近数年来强邻的威胁，使和平的荷印亦不得不讲求国防了。边陲要塞的建立，武器的机械化，野战炮队的增加，近代空防的设置，处处都表现荷兰对荷印的防备已在急起直追。今日日本渔船闯入荷印禁海，刺探军情的活动，因荷印海防森严，受到惩罚而敛迹了。荷印

[1] *World Almanac*，1937，P.648.

国防的成绩可分两方面讲，第一是海军方面，荷印当局曾以一千八百万荷币建筑唐崇勃列港，在唐崇勃锐港，设置了规模宏大的造船厂及兵工厂，这都是许久以前的事实。最近除开把它们一一强化，东印度的海军亦更有所扩充。据一九三七年十月六日中央社哈瓦斯电，荷印已集中六千七百吨的巡洋舰两艘及六千五百吨巡洋舰四艘，新式驱逐舰十六艘，潜水艇十六艘，旗舰二艘及炮舰和水雷敷设舰若干艘。这一海军实力正如荷兰国防部长两年前所说的："东印度舰队实力虽尚未臻至十分雄厚，然已足抵御日本的武力侵略。日本海军力量固十倍于东印度，但对东印度作战，日本最多亦只能调遣其十分之一的海军。"荷印的海军预算一九三八年为三千七百二十万荷币，较三七年竟增多一倍，这也是必须指出的。

其次，空军方面亦有极大的进步。在苏门答腊、荷属婆罗洲以及其他重要的据点都建立了水陆空军根据地。由巴达维亚到泗水(Surabaya)的航空干线业已开辟。荷印近且设立航空学校，训练空军人才，添置飞机。单讲驱逐机最新式的即有一百五十架之多。

荷印一贯的国策就是维持现状，拥护和平。它始终不曾参加任何同盟或其他的政治结合。可是待一九三六年十一月二十五日《日德协定》签字，该协定附有瓜分荷印的条款，即北部之婆罗洲、西里伯、木罗卡（Moluccas）、西兰（Ceram）以及新几内亚诸岛属日本，而南部之苏门答腊、爪哇、松巴瓦（Sumbawa）、滞汶岛等属德国（据哈瓦斯伦敦电），才惊破了荷印的和平美梦而亟谋充实国防。但是荷兰深深知道仅靠本身的国防力抵御东方的侵略还是不够的。荷兰应当寻求一个与国，这一与国地理的决定要以英国为最理想。于是英荷军事合作的消息便透露出来了。（一九三七年十一月十四日伦敦路透电，自中日战事发生，英荷军事同盟已渐具体化。）多年来荷兰外交当局格夫氏（Jonkheer de Graeff）主张建立“白人前线”于今或已有所实现，在此防卫线下，荷印当有更高的安全感。

六　英领属地的外藩

荷属东印度平行赤道三千余哩，从地图上表现出来，它可谓为英国在太平洋的第一道防线。何以荷兰的属地可作为英帝国的防线呢？我们看，英国在太平洋的一些自治领和属地无不远离英帝国的国防线，新加坡固然不失为英帝国在太平洋的军事重镇，可是澳洲、新加坡间，亦远超过舰队最适宜的行动半径；新西兰自不用说了。但是新西兰和澳洲距离日本代管岛倒反而近，其间要不是隔着一个广阔的东印度，新西兰和澳洲势必坐立不安。所以荷印首先要算为新西兰和澳洲的屏障。因为存在着这一大屏障，从加罗林和帛琉出发之日本的海军和空军，要想进攻达尔文港，若非已占有婆罗洲、新几内亚或滞汶岛，则必徒劳而无功。因为只有占领婆罗洲之后，日本才能夺取沓厘、百板的石油作为扩大战线后所须要接济的军事资源，才能继续攫取新几内亚和滞汶岛以截断新加坡和澳洲的联系，达到攻取达尔文港的目的，这是一方面。

在另一方面当日军进攻新加坡的场合，爪哇及苏门答腊的地位尤关重要。因为荷印首府离新加坡军港只五百三十二浬，我们知道，爪哇、苏门答腊间的巽他海峡，适当太平洋与印度洋之要冲；同时苏门答腊北部凭临着麻拉甲海峡，隔海与英属马来半岛相对峙立，是英国东来的舰队和商船必经之要道。日本企图控制麻拉甲海峡的交通，截断新加坡与印度乃至英本国的海上接济，换言之，即孤立新加坡，日本最先一着必攫取苏门答腊。

从此可见荷属东印度对于英国在太平洋战略上意义的重大。绵亘三千余哩的荷印天然地成为英帝国自治领地一道外藩。有位荷兰驻英大使史蒂伦氏在英国皇家协会演说，把英荷在太平洋的关系比喻得最妙（见一九三八年一月中央社伦敦十九日电），他说："英荷两国在东印度的共同关系犹如屋顶之于房屋，如屋顶被雨水透湿，则君等房屋，亦将漏雨。"这真是一针见血的话。

七　空中的桥梁

东印度群岛位于日代管岛和澳洲之间，同时亦位于英属马来半岛与澳洲之间，无论从澳大利亚到新洲或新加坡到达尔文港的船只都要以荷印领海为必经的航线。新加坡和澳洲间能有荷印做着海军驿站，那于战略上再便利也没有的。

要知道，东印度不但是英国在太平洋的海军驿站，且还是英帝国空军的桥梁。尤其这个空中桥梁的范围比海军驿站的范围还要大，它除了占有马来半岛和澳洲及澳洲和新加坡的空间，尚占有澳洲和香港乃至香港和新加坡的空间。以达尔文港为起点伸出一线至新加坡为二一六四浬，伸出一线至香港为二二四〇浬，再由新加坡伸一线至香港一四四〇浬，这每一线之间假使都是一片汪洋，中途没有一个停泊站，以最新式飞机的续航力计算也许勉强可以达到，但是从达尔文港飞到新加坡是可能的，而到达新加坡再飞回达尔文港则是不可能的；从新加坡飞到香港是可能的，而飞达香港后还要作战却又是不可能的。幸而澳洲、香港间，香港、新洲间及新加坡、达尔文港间横卧着荷印，这里有空军的根据地可为停泊所，有丰富的流质石油资源，可作为中途增添燃料站。从而可知，因为荷印的存在，英帝国在太平洋诸军事根据地间的空中距离就缩短了。因为有荷印做空中的桥梁，英国在太平洋的三角阵线就格外能相互呼应，格外能发生更微妙的作用。

八　控制日本的交通

荷属东印度对于日本的战略作用，我们还可以作进一步的观察。日本是一个患资源贫血症的国家，一切国民生活必需品及军事资源都是仰给外来。因为日本需求发展对外贸易并输入所有重要的物品，日本便需要亟谋海上交通的安全。

日本输入方面共计有五大交通动脉：（一）经日本海、黄海、东中国海输入中国及西伯利亚的米、豆、铁、棉、菜油等原料品。输入这些原料品约占其总输入百分之一九的数字。（二）经南中国海则输入香港、安南、暹罗、海峡殖民地乃至英领印度的棉花、米及生橡皮等原料，此输入亦约占其总输入百分之十八。（三）经菲律宾以南的南太平洋，则输入菲律宾、荷属东印度、澳洲及新西兰所产的羊毛、砂糖、小麦、石油等原料，合约占其总输入百分之一一点五。（四）经太平洋北部及美洲大陆两岸，则输入南北美的棉花、木材、铁及其他金属机械等物品，合计更约占其全输入百分之三三。（五）最后经大西洋、地中海、红海、印度洋而太平洋则输入欧、非二洲的铁、机械、毛棉等物品，是亦约占其总输入百分之一八。

以上五大交通线，除第一和第四两线外，其他三线则都必经荷属东印度。换言之，荷印实握有这三道交通航线的锁钥。荷印足以控制日本海上的交通线。尤其当日英战争的场合；英国只要扼住麻拉甲海峡，则日本往返于太平洋和印度洋的船只便不能不绕道荷印，显示出荷印一举一动都可以影响及日本交通的动脉。

第十七章　越南斯巴特莱群岛及西沙群岛

一　法国与太平洋

法国和英国一样，地理上虽然系欧洲的国家，但在太平洋上她亦早已立定了她的脚跟。欧洲的特殊关系纠缠着法国几无动弹的余地，自欧战以后，的确地，法兰西从未参加过任何太平洋国际的剧烈斗争，但是这一事实，并不是就说明法国已放弃了她在太平洋的地位。当太平洋均势时代，法国固不必采取任何积极政策，不过目前均势局面既经东方侵略者一手破坏，法国现下欲求维持太平洋国际的均势局面已不可能。法国甘愿于放弃惨淡经营的地位吗？这是不会的。在未来太平洋大战剧幕中，法兰西将仍不失为一主要角色了。

我们检讨法国在太平洋的军事地位，不妨首先概略地叙述及她在太平洋的政治和经济地位。太平洋法国的主要属地是越南。越南即法属印度支那半岛，包括交趾支那（Cochin China）一殖民地，安南、柬埔寨与东京（Cambodia & Ton King），及老挝（Laos）四保护国。法国于一八六一年获得交趾支那，一八六三年占据柬埔寨，一八八四年因中法战争，复占取安南，同年又合并东京。法属印度支那半岛总面积二七七五〇四方哩，人口约二千一百余万，出产大宗为木材、煤、棉及糖、丝。[1]

其次为南太平洋一带的殖民地。[2]这些岛屿殖民地可分作三个区域来说明：（一）新喀里多尼亚及其附属地（New Caledonia & Dependencies）。新喀里多尼亚群岛有八五四八方哩的面积，五七一六五的人口，出口货以镍、椰为大宗。它东南三十哩有派因兹岛（Isle Pines），计面积五八方哩，居民六百人；派因兹岛东六十哩为罗雅

[1] *World Almanac*，1937，P.649.

[2] 英领太平洋面积三二四七九九三方哩，人口六六九六五六三；日领太平洋面积二六二〇一〇，人口五八二四六三〇六；美领太平洋面积一三三二五五，人口九一五七六八六；法领太平洋面积二六二七二〇，人口二一三二四六〇〇。

特群岛（Loyaty Is.），计面积八百方哩；西北一七〇哩为胡翁群岛（Huon Is.）；还有在非支群岛东北的瓦利斯群岛，面积四千方哩，居民四千五百人，和在瓦利斯群岛之南的佛脱那与亚利福岛（Futuna & Alof），都属于新喀里多尼亚的附属岛。（二）新赫布尼底群岛（New Hebrides Is.）。这是三十七个小岛构成的群岛，约当非支群岛之西五百哩，为英法两国所共同管理的。（三）法属海洋洲诸岛（French Establishments in Oceanic）。这里包括社会群岛、马贵斯群岛（Marquesas Is.），大莫土群岛（Tanmotu Group），尼瓦特群岛（Leeward Is.），干俾尔群岛（Gambier Is.），图部爱群岛（Tubuai Is.），拉巴群岛（Rapa Is.）以及马卡梯亚岛（Makatea），总计面积一五二〇方哩，人口二十一万。出产有珍珠母和磷、椰。法国的岛屿殖民地除了上述的遗产，近几年还有一些新的创业——南洋九小岛和西沙群岛。

最后则是在远东的政治经济权益。法国获有中国的政治经济权益，如：租借广州湾及天津、上海和汉口的租界，握华南二千一百九十二哩的铁道敷设权，投有一万万法郎的事业投资，及一六四二二三〇〇〇法郎的借款投资，并创设有最大的金融机关东方汇理银行，计资本七二〇〇〇〇〇〇法郎。

由此可知法国在太平洋的政治和经济势力，虽不及英、美、日三国在太平洋的雄厚，但以殖民地面积言，她占第四位，以人口言更列居第三位，[1] 其地位殊亦未可忽视。法国竭力企求其军事地位的巩固以巩固其政治和经济的地位，而在太平洋谋强化其固有的军事根据地，乃至建立新根据地，该是相因而至之事了。

二　太平洋法国军事根据地的一般形势

一般太平洋军事战略论者好像对于法国在太平洋的军事根据地不大感到兴趣，于一些专门讨论太平洋战略的论著中，我们很少见到叙及法国的太平洋的军事根据地的资料。拿法国的军事地理形势较之其他列强的一般形势，我们承认有许多地方显现得要薄弱些。但即使这样薄弱的地理形势，在防卫法国领地乃至整个太平洋战略意义上，却仍占极其重要的地位。

---

[1] 见第十二章。

展开太平洋地图来看，沿南中国海西北岸最惹人注意的即为广州湾，它位于雷州半岛之东，外抱东海硇洲二岛，湾面阔大，海水渊深，足容万吨以上的战舰。其间水石环列，形势险隘。当光绪二十四年，英、俄、德三国各在中国沿海占有根据地，法人为求均势乃亦向我国租借广州湾了。广州湾不但是一个天然良港而且于今重建有巩固的防务，如“赶筑高射炮，增驻新舰队，加辟飞机场”（见本年六月三十日美联社电），凡一切海空军应有的设备都在加紧工程，它已成为一座要塞，一座堡垒，成为越南的前卫，法国在远东的第一道防线。

越南矗立于广州湾之西南，为法国在太平洋上主要的属地同时亦即是主要的军事根据地。一方面广州湾前卫着越南，另一方面越南又后卫着广州湾。它们之间虽然隔着一个海南岛，可是因为《中法条约》，海南岛不得割让与第三国，而在中国传统的和平治理下，从不发生任何军事作用，所以它们彼此的呼应，仍然是异常灵活的。

然而为了确保越南的安全，法国单有了广州湾做越南的前卫以及越南本身的防卫力量，还不够满意的。于是法国在越南东南一千二百公里的地带重新更建立了一大空军门户，它就是一九三四年八月廿五日法政府正式宣布占领的南洋九小岛，其地理名词为斯巴特莱群岛（Spratly）。斯巴特莱（此岛于一九三九年三月卅一日被日本强占）形势上可做越南的后卫，同时如以越南为中心，以广州湾为左翼，它又可作为越南的右翼。在此左右翼的中心部分，法国新近还占有西沙群岛（Paracel）。广州湾和安南加上西沙群岛乃成一三角阵线，整个控制着海南岛，同时安南及斯巴特莱添上西沙群岛，亦成一三角阵线，这个三角阵线则又加强了它们与马尼拉、婆罗洲及新加坡的联系。

从前述的形势考察，局限于太平洋西南一角的法国的军事根据地，领域既不广大，形势亦不雄伟，当然未足与英、美、日三国的头等根据地同日而语。我们说英国在太平洋的国防线，但有太平洋日、美两国国防线的意义，而没有它们那样的内容，[1]那么，法国在太平洋的国防线，就不仅比不上人家充实的内容，甚至连人家国防线的意义也都没有了。但是从另一角度检视，法

[1] 见第十二章。

国国防线的内容是否较之英国尤为薄弱，这是另一个问题。不过若说英国在太平洋的国防线的一般形势，是以不等边三角形的特新姿态出现于太平洋，而另具其特殊性，则法国更是以双三角形的特新姿态出现于太平洋益具有其特殊性了。

如上的分析，已能使我们了解法国的太平洋军事根据地之一般形势，然尚不够给我们了解太平洋上法国的战略形势全面。要认识她的全面形势，我们还得进一步提出比较重要的根据地用战略的眼光再个别的与以探讨。

三　越南

位于广州湾西南的越南，海岸线长二千公里，东南部有西贡江口两大军事重镇；西北部有头兰湾（Tourane Bay），从西贡到头兰湾适成一直线，它们共同负起警卫沿海地带的任务，而以头兰湾凭临着南中国海的东北岸，对由东北来的敌人作尤为有力的监视。头兰湾便是安南的第一等的海军港湾。

安南在亚细亚之东南，北界东京湾，东及东南毗连中国海，西邻柬埔寨角及老挝。地形弯曲，其南岸向外突出，曲折处有半岛及珊礁；其北岸则向内凹进，屈曲处则多湖沼和沙丘。头兰湾雄立于此沿海岸之中部，湾上山脉纵横，要塞环立，形势险要，湾中水深广阔，诚为巨型舰队汇集的理想所在，它战略上的重大性于此可知了。

前面特别指出过，法国于太平洋均势之下，其太平洋政策的重心乃在维持现状。因为在维持现状的政策下，越南防务遂一向未有积极的准备。它的根据地和堡垒年久失修，舰队皆不健全；陆军只有两师，一驻安南和东京，一驻交趾支那和柬埔寨；在河内原设有空军司令部，但所谓空军仅旧式陆机五队及水上机一队。这均势时代下的国防，当然无以应付当前太平洋的大事变。目下远东的烽火快燃及法兰西的眉睫，法国增强国防的迈步，便不得不密锣紧鼓而行。一些军港和炮垒已在加紧设防，头兰湾驻有最新式之军舰和潜艇了。黔兰（Cam Ranh）和西贡将增辟空军根据地并集中大队空军了。陆军方面亦已开始征调在乡军人及预备兵役，第一期已有十万人编成劲旅了。

越南的天然条件颇佳。每年九月至翌年正月属雨季，其间偶有飓风。雨季温度约五九或七五度，雨季后为暑期，温度高者九十度。气候调和，雨水充足，土地肥沃，所以农业生产堪称庶富。越南有稻田五五〇〇〇百万平方公尺，计安南八〇〇〇百万平方公尺，柬埔寨八〇〇〇，交趾支那二三〇〇〇，老挝四〇〇〇及东京一二〇〇〇百万方公尺。年产稻共约六千数百吨。越南尚有橡胶地一二六四百万平方公尺，胶树二九七千株。[1]

越南的军事战略形势可分作两方面来讨论。我们晓得越南的交通网业已广大的建立。广大交通网的建立对于无论海上作战或陆上作战均有莫大的便利。第一，陆上作战，例如河内为越南行政和军事的中心，而河内即直通桂边的滇越铁路的总站，是从谅山到那岑的铁路及安南通都兰的铁路的枢纽。很明显地假定在中法邦交对立的时候，它就是我国云南和广西两省的直接威胁；可是像双方邦交协调的今日，越南便又是中国当前重大的交通孔道之一了。

---

[1] *Encycloprdia Britanic*，Vol.2，P.372.

其次，海上作战的形势。我们从地图上可以看出，越南以突出的姿态有似伸长着颈脖对广州湾采取严密的监护，同时在它和广州湾的军事协同动作下，事实上又把海南岛紧密地两面包围。这种包抄的形势恰如一个大钳子，其间夹着一个海南岛，使海南岛动也动弹不得。

西贡、香港间或西贡、台湾间都只有八百哩的短距离。西贡与新加坡间亦相去仅及九百哩。西贡与婆罗洲及荷属东印度亦很接近的，至于与马尼拉更所谓一苇之隔。就地图考察，越南适当香港达新加坡航线的要冲，它可能切断这条航线的联系，亦可能加强这条航线的交通。如果承认荷印是新加坡和达尔文港间的天然桥梁，则不得不承认越南乃是新加坡和香港间的桥梁。越南的海军港和空军根据地若都与以最新式之化装，则岂只打破了香港的孤立，即新加坡亦频添了卫星而不至感到空虚和单调。安南总督塞朗斯氏不久以前于其返国途中路过新加坡时说："新加坡巩固的防务给了越南莫大的安慰。"我们可以说越南国防力的强化又曷尝不是新加坡及香港的安慰。英法两国在太平洋的国防地理的关系或许就是它们结成和平战线诸因素中一大因素。

四　斯巴特莱群岛及西沙群岛

斯巴特莱群岛及西沙群岛都是法国新建立的军事重要据点，西沙群岛固不用说，即斯巴特莱群岛飘扬法国的旗帜亦为时不过四年，但在本年三月廿九日被日本强占去了，斯巴特莱群岛位置在北纬十度及东经一百十度至一百十五度之间。共有岛屿大小九个［即：安波岛（Cayed Amboine），北纬七度五十二分，东经一百一十二度五十五分；斯巴特莱岛（Spratly），北纬八度三十九分，东经一百一十一度五十五分；伊都阿巴岛（Itu Aba），北纬十度二十二分，东经一百一十四度二十一分；罗伊太岛（Loaita），北纬十度四十二分，东经一百一十四度二十五分，与兰基岛（Lankian Cay）合称罗伊太礁；南彝岛（Namyit）与伊都阿巴岛同称为提萨尔班克群岛（Tizard Bank）；低土岛（Thitu），北纬十一度七分，东经一百一十四度十六分；都尔岛（Deuxiles），北纬十一度二十九分，东经一百一十四度二十一分；内包括东北岛（S. W. Caye）及西南岛（N. E. Caye）］，各大岛的形势据《南海航海指南》（*China Sea Pilat*,

Vol. Ⅲ，P. 95-100）所载：（一）斯巴特莱岛位于一珊瑚层的西端，岛高十八呎，长二百五十哼。岛北附近水深三又二分一哼（一哼等于六呎），东北半哩水深则七八哼。岛之四周多岩石，沿岸峻峭。岛中天气颇佳，但有季风。夏季潮汐涨落有五又四分一呎之差。（二）安波岛广约百哼，高可八呎，线延达二百哼。周围亦为珊瑚岩。岛之东北为一广二百哼和长一哩的堤岸，极端处水深达九至十七哼。（三）伊都阿巴岛在浅沙滩之西北端，长约十哩，周围岩礁环绕。（四）罗伊太岛离伊都阿巴仅十八哩，四周有珊礁。其西北五哩有广约一又四分一哩的岩礁，水深可达四哼。（五）低土岛为一低洼的沙岛，长四百哼，其西有堤长七哩，宽约三又四分一哩。堤岛之间，水深为二又二分一及六哼不等。（六）都尔岛在低土岛北二十至二十八哩。西北岸为二砂岩各长半哩，偏北之东北岩高约十呎，南岩则高达十五呎，其间有一水道宽哩许，深五哼，由此可入一水深二十至二十七哼的礁湖。

西沙群岛位在北纬十五度四十六分至十七度五分，东经一百一十度十四分至一百十二度四十五分，共有岛屿二十余座（其东大者有：树岛［Tree Is.］；北岛［North Is.］；中岛［Middle Is.］；南岛［South Is.］；森岛［Woody］；石岛［Rocky］；及林肯岛［Lincoln Is.］等。其西大者有：珊瑚岛［Pattle Is.］；甘泉岛［Robert Is.］；金银岛［Money Is.］；伏波岛［Drummond Is.］；灯擎岛［Duncan Is.］；掌岛［Palm Is.］；天文岛［Observation］；南极岛［Triton Is.］及帕苏基岛［Passu Keah］等）。据沈鹏飞氏所编调查西沙群岛报告中记述西沙群岛各岛的地形皆为一椭圆形。面积以森岛最广，平均约为一五〇〇一〇〇方公呎。高可十公呎，作不整齐椭圆形。石岛面积为六八七五〇方公呎，高达十五公呎，作东西凹凸形。灯擎岛面积为四三二五〇〇方公呎，高仅数呎，作半月形，中间有一小湖。

斯巴特莱群岛及西沙群岛的生产只是一些灌木和香蕉之类，除此而外尚有少许磷矿、鸟粪及鱼产，绝对谈不到什么资源。所以法国占领这两群岛的意义与其说在政治和经济的价值毋宁说在军事战略方面。因为前者不但可能暂筑为潜水艇及巡洋舰根据地，而且还可能辟为大空军港，辟为一小规模的军事根据地；后者的地理条件则最合乎建立为一大空军总站。

法国在太平洋的军事形势原为一个前后卫的形势，自“九·一八”后，法国将斯巴特莱岛纳入版图，这前后卫的形势即一变而为三角阵线。一点也不错，如以西贡为中心向西南伸一线至斯巴特莱岛，再向西北伸一线至广州湾恰好构成一个三角。在以前，所谓前后卫的形势，的确太单调了，而以后，在此前后卫之间，加以外线的联系，内容便充实多了；在以前南中国海是一个绝对的自由海，而以后南中国海的制海权便握在法国人手中了。但是斯巴特莱岛离西贡一千二百公里，去广州湾六百余浬，所以合西贡、斯巴特莱岛及广州湾所构成的三角，其间的距离尚不免觉得辽阔，军事运用的敏捷会受到影响。唯独它们中间天然地存在着一个西沙群岛，距斯巴特莱岛三百五十余浬，广州湾三百余浬，航空往来，瞬息可到。法国占有西沙群岛不啻将原有的军事三角阵线化分为二，使辽阔而散漫的三角阵势紧凑而严密；而西沙群岛即居此两三角形的核心地位。

更进，前面讲到过，斯巴特莱岛配合着广州湾和越南的包抄形势就很有把握的控制着海南岛。但是此种控制果有绝对的把握吗？斯巴特莱岛去海南岛五百三十浬，比西贡海南岛间的距离还要遥远。它与西贡及广州湾所形成的三角阵线固然可能控制海南岛的战略形势，不过在海南岛前面既有五百余浬的广大自由海面，台湾的空军及佐世保的海军很可能以浩浩荡荡的威势来策应海南岛的军事行动（日本夺取海南岛的情势下）。日本的海军及空军出没于南中国海的动作，当然会受到相当的牵制，不过决不至受到绝对的牵制。因为所受的牵制不一定是绝对性的，则在利用海南岛作为日本军事根据地的军事活动，倒反足以威胁广州湾和越南的安全了。这要算法国的太平洋防线的一个弱点，此一弱点只有西沙群岛或以弥补。西沙群岛对于海南岛的安全特具有决定的作用。它与海南岛榆林港势成犄角，又与广州湾和安南遥相对望。设若这群岛屿被日本占有而去，则广州湾及安南便无形中遭遇日本强盗的武力封锁。幸而法国先发制人，一手攫住西沙群岛，预先造成三面包围海南岛的局势，预先防备敌人攻夺海南岛以后的不利形势。

斯巴特莱岛除了完成法兰西在太平洋大三角防线形势外，还因为占有西沙群岛，另与西沙、西贡又成一小三角形以与西沙、西贡及广州湾所形成的小三角阵线相互发生着连环作用。这个作用则不仅消极地紧密并增强法国的太平洋阵线，且积极地更能把敌人沿南中国海的航运横施破坏，并保障附近一带各国所属的岛屿及根据地。斯巴特莱岛雄立于南中国海之中部，举凡来往于南中国海的船只都以它为必经的要道，就是空中的神鸟也逃不出它的视线之外。这即是说，无论香港至西贡，香港至新加坡，菲律宾至夏威夷，台湾至暹罗及荷属东印度的航线，要都不出斯巴特莱岛的空军轰炸范围。它距菲岛、帛卢按岛（Palawan）二百浬，婆罗洲北岸五百公里，与香港、新加坡、荷印、越南都相去不远。现在日本已突然占领了这群岛，假若它果真变为日本的财产，则日本合台湾及澎湖列岛便包围了台湾海峡以南的中国海疆，犹之乎日本夺取朝鲜、大连及旅顺后便包围了中国北方海疆一样。日本一贯企图中的南进政策遂与以获得开展的基础。在此基础之前，菲律宾、婆罗洲及荷印必都感到不安了。这个基础的建立，更直若在香港、西贡及新加坡门前插上一枝箭头。

斯巴特莱群岛本已为法国所占有，无耻的日本军阀虽曾为此事件咆哮过一番，但卒然卒为法兰西收为领属。它和西沙群岛同成其为新加坡、香港间的桥梁的重要阶梯；同成其为菲岛、婆罗洲乃至荷印的和平堡垒；同成其为法国与英、美两国构成太平洋和平阵线的锁链。正如《巴黎日报》所指出的："德、意、日三国的强盗结合只是一种所谓思想上之结合，而英、美、法三国在太平洋的军事同盟却已有其地理上的根据。"可是日本侵略者现在已强行在斯巴特莱实行军事占领了。法国的抗议是无补于事实的。当此世界已临大暴风雨的前夕，日本继攻夺海南岛之后占领斯巴特莱岛，是她在太平洋大战棋局下，已先行两着有利的棋子。这从前面的叙述，我们该可以获得了一个明白的认识吧。

第十八章　海南岛

一　太平洋中国军事根据地的一般形势

中国是太平洋上最老大的国家。历史悠久，人口众多，幅员广大，海疆辽长。她对于太平洋的命运确具有决定的作用。可是中国究竟老大了！新中国生命的诞生为时甚暂，而多年的积弱却根深已久。“国防”二字在中国要算是一个新名词。海军建设，几等于零，海疆国防的重要性更是一般人所梦想不到的。因此直到现在，中国海岸虽从北部辽宁、鸭绿江以迄于南方的白龙尾港，全长一万三千五百余里，而竟找不出一个现代化的军事根据地来。中国自鸦片战争到前清末年沿海要隘，丧失殆尽，她于今不但尚未有一个现代化的根据地，甚至连具有军事地理价值的岛屿及湾港也不多见。中国迤南一带的香港及九龙新界、安南及广州湾是早已先后为英法所占有。而北部著名的旅顺、大连，台湾及澎湖列岛亦早已作为日本的战利品。今日我国所有的有战略价值的岛屿只是沿南海岸的海南岛，及属岛普拉泰斯（Pratas Islands）和西沙两群踞，而目下普拉泰斯群岛已为我们的敌人非法盘据，西沙群岛已为我们的友邦暂时占有，最痛心的是硕果仅存的海南岛最近又给我全民族的敌人以武力攫取去了！

海南岛行政上称为琼崖，为中国南部领地之一。它适当东京湾和中国海间的要冲，新加坡在它之西南，香港在它之东北，为欧亚航运必经之地。岛上岗峦起伏，湾港林立，只须加以最新式的军事设施，它立刻就可成为我国南部一座铁壁。

海南岛不但是可能成为华南的一座堡垒；不但是握欧亚交通的孔道；而且是新加坡到香港的海空阶梯，而且是联接着香港和马尼拉构成一个三角，居此三角阵线的核心地位。假定太平洋反侵略阵线早能组织成功，则海南岛便成为促进英美在西南太平洋合作的军事媒介。

屏障着两广的是海南岛，屏障着海南岛的原有西沙群岛。它位于海南岛的正前面，可谓为海南岛的前卫。广州湾和头兰湾本足以控制海南岛，但海南岛若与西沙群岛前后相互警卫，则反足以控制广州湾及头兰湾的联合动作了。在西沙群岛附近的普拉泰斯群岛，它几乎仅是高出海面不多的珊礁圈，中间是一个直径八哩的礁湖，内多沙洲与岩石，湖口只能行吃水十五呎的船舶，绝对毫无商业的价值，但此地可能建立潜水艇和驱逐舰的根据地及空军站。地理上它与西沙群岛的作用相同，能够遮断香港与新加坡的视线。

合海南岛、西沙群岛及普拉泰斯群岛所形成的中国南部的国防阵线，亦为一三角形的阵线，假定它们都穿上现代的武装，使这个阵线强化起来，中国南方海疆的安全并不是没有保障的。不幸这些岛屿目下都已暂时涂上别人的国徽。最值得我们注目的是敌人攻占的海南岛。不过我们相信只要抗战一日不停止，海南岛终有收复的一天。敌人这次以突击的姿势而将海南岛占领，这是太平洋上的一件大事，整个太平洋的战略形势因此或将有所改变。我们且就它的战略价值来加以讨论吧。

二　日本攻占海南岛的阴谋

海南岛与台湾对于中国海防的意义同样的重要。军事家评定过，它们同为中国南部海疆的“东南二眼”。这“东眼”早在一八九五年被日本挖去，所余的这只“南眼”又数十年来都在睡眠状态中。近年来太平洋的狂涛虽说把它惊醒了，但惊醒未久，即惹起侵略者的觊觎（如造成“北海事件”）。到现在，敌人竟敢造成太平洋上的“九·一八”，夺取海南岛，企图将它变为第二台湾。

东方的侵略者自以为在东亚它有两大生命线，一是大陆生命线，一是海洋生命线，前者的对象原系满洲，迨满洲造成伪国，华北及华中又成为它的对象了。后者的对象目前当然只是华南和香港，到以后，整个南洋群岛，整个太平洋也许亦将成为它的对象了。侵略者的欲壑是没有止境的。日本从欧战中抢得了旧德属太平洋赤道北诸岛，掌握了内南洋，现在又正想由内南洋拓展至外南洋了。所谓外南洋，据石丸藤太的解释，[1]即荷印、菲律宾、婆罗洲及马来半岛。这一带都是原料出产地及

[1] 石丸藤太氏《従軍事上所見の海南島》。

广大的市场。是所谓日本的第三生命线。

但是欲争取这第三生命线，日本第一步必先攻夺华南，占有海南岛，正如同她为争取所谓大陆的生命线一样，第一步必先吞并满洲，攫取华北。日本的统治者的传统的大陆国策是欲建立“东亚安定势力”；而统治东亚，必先征服支那，欲征服支那必先征服满洲。很逻辑地推断，日本的统治者的传统海洋国策则就是欲奠定太平洋的霸权；而统治太平洋则必先夺取外南洋，欲夺取外南洋必先夺取海南岛。日本这侵略的急色儿，于其侵华战争尚喘息未定的时候，乘着欧洲局势极度紧张的机会，不惜冒险趁凶，将海南岛一变而为满洲第二。日本这一军事行动的最大阴谋，与其说是在企图控制中国的西南，毋宁是在企图控制外南洋，以控制太平洋全部。

三　地势一瞥

海南岛是中国硕果仅存的海外大岛，面积约为四万一千五百八十方公里，海岸线长不下一千二百公里，几等于英国的半个爱尔兰（Ireland）。若是拿海南岛与台湾来比较，前者为一椭圆形的橙状，后者乃为一芭蕉叶的形态，这橙状却大过芭蕉叶许多了。它位于东经一百零八度三十六秒至一百一十一度二分三十秒，北纬十八度九分至二十度十一分。西邻法属安南，东控菲律宾，南望英属马来及荷印，北隔琼州海峡，与雷州半岛相对峙。

从地质的构成看，海南岛特具有国防条件。它的地势是东北部狭小，西南部宽阔，狭小部分地势较低而平直，宽阔部分山岳颇多，高者约一千七百公尺，低者亦在一千公尺以下。全岛湾港纷歧，河流交错，配以崇山峻岭，天险独多。尤以腹部的五指山英立云霄，俨若覆釜。

琼崖具有军事价值的湾港第一为榆林港，其次为清澜港，前者为南部的港湾，去崖县仅二十余里；后者属北部的港湾，距文昌县亦约二十余里。这南北二港相隔约五百六十五里，筑以铁道，呼应灵便，它们握有全岛交通的重心，握有南天国防的锁钥。

榆林港分内外二港，港口开敞，三面环山，水深三丈至九丈不等。由外港到内港，水道狭隘，口门处左有乐道领，右有独田镇，形险势峻。内港东西约二十里，南北六里，水深浪绕，间有珊礁，若与以人工开凿则可容主力舰队，不失为一大海军根据地。一九〇五年日俄战役，俄国波罗的海（Baltic Sea）舰队曾有一度寄碇于此。前“北海事件”时，日本的南遣支队亦系以此为根据地的。

清澜港前临大海。港与海之间隔一长达十五里的港口，所有船只必须经过这个港口始能驶近港面。港内海水颇深，形势天成，其中有暗礁，但须使用科学方法，加以疏浚和开凿，亦未尝不是一个能停泊巨舰的良好所在。

海南岛另外还有海口港、博鳌港、新英港、三亚港、薪盈港、北黎港及藤桥港多处，它们或为商埠，或为产盐区域，虽不足为军港，但它们交通的便利与资源的丰富，对于军事当亦有其特别的贡献。

四　气候人口及资源

海南岛的气候，概括来说属于热带的。它的气温，北部每年平均最高约为华氏九十一度，最低约六十四点三度，全年平均约七十七点五度。南部则每年最高约九十度，最低约五十度，平均温度约在七十度左右。至于雨量，每年雨天在一百四十七日左右，雨量约八十四吋，以八、九、十三个月雨量最盛。七、八、九三个月大雨时常有飓风。[1]

海南岛的人口约为二百一十八万九千六百余人，[2]内分灌族、黎族、苗族及少许外族。通常黎苗两族合称生蕃，共约二十万，文化程度甚低，生活方式原始但性情剽悍，体格强大，勇敢好斗，如善为教练，可成劲旅。至若灌族更秉性坚毅，民族意识强烈，冒险精神极富，稍加训练，则一个公民便是一位战士。

海南岛气候温暖，雨水充足，土壤沃肥，故热带植物皆能繁殖，农作物种类特多。据法国驻华商务总会公报的资料，该岛的农作物主要的为米。米分水陆二种，一年两收乃至三收，唯多数土地尚未垦殖，耕种方法原始，所以年约产米仅及二百四十吨，每年尚须输入米一

[1] 见琼崖海关报告。

[2] 见《广东统计月报》，民国二十四年三月。

万石左右。其次为甘蔗，出产最盛，蔗糖为全岛出口之大宗约为十万担以上。再次为橡皮，约有橡树二十四万六千五百株，占地九千亩，年产量约四千三百四十余担，输出量约六万公斤。最后则为森林、椰子、棉花、麻、丝等农产品。它们亦年有出口。以上为农业资源。

除开农业资源，该岛还有矿业资源。海南岛的矿产虽尚无正确的统计及精密的调查，但其蕴藏力颇为数丰富，却毫无疑问。据粗略调查的结果，全岛所有矿产，现已发见的有金、银、铜、铁、锡、铅、锑、锌、锰、水银、硫磺、油页岩等，尤以锡矿为最多。

海南岛此外还出产渔盐。该岛四面环海，盐田颇多，又岩礁比栉，渔产亦丰。据统计盐之出口年占全岛出口总额百分之六十，约有五十万担以上的出口。渔产年约值二三百万元。

五　中国的佐世保

海南岛是中国南部海防的一只眼睛，为今日华南仅有的瞭望台。当我们想及失去一个台湾便使得台湾海峡与整个福建受到控制，我们就可以想见海南岛对于琼州海峡及两广国防意义之重要和宝贵。

海南岛有关于两广战略的地位，石丸藤太氏有一个很好的比喻，即：如果两广像一个氢气球的气囊，雷州半岛是该气球的颈部，那海南岛便是气球的吊笼。我们从吊笼如何操纵吊笼网（即颈部）及气囊的道理中，即能了解海南岛是怎样控制着雷州半岛和广东及广西的形势。若是这一妙喻尚不容易使人能有充分的理解，石氏还进一步举出过去日俄战争的战略事实来做说明。

当日俄战役，战略方面，俄国是一面集中陆军于满洲，一面分驻海军于旅顺和海参崴，而日本则是除了布置陆上作战，还积极地配备有海军，那时海军最主要的根据地为佐世保。佐世保军港位于九州之西南端，介居于旅顺和海参崴之间。它以适中的地位，最易完成各个击破的战略。就是它一面策应朝鲜海峡，截断海参崴与旅顺的联络，一面又成为日本首先攻取旅顺而后击破海参崴的军事大本营。

以日俄战争形势例证，最明白不过，广东省恰如俄领沿海州，广西及粤属之钦廉道又恰如满洲，而雷州半岛则恰如朝鲜半岛，海南岛更俨如日本的佐世保了。那么，以佐世保为军事中心曾足以左控海参崴，右制旅顺，而以海南岛为军事中心当便足以管握两广的命运。

更进，我们知道海南岛北隔琼州海峡仅有十二浬即达雷州半岛。海南岛和广州或梧州的距离也都不出五百里。但是从九州到海参崴却远至八五五浬，到旅顺又不下八百浬之遥。一般来讲，在作战上，距离为决定胜利的重要因素。任何根据地离战场或目标愈近愈有价值。所以两广间的海南岛不但有旅顺及海参崴中的佐世保的战略价值，而且有较之更大的价值。

六　攻势战略的意义

海南岛以突出的姿态，拱立于广东和广西之间，我们说它能支配粤、桂，同时它又以内凹的形势矗立于香港和安南的中央，我们便得承认它对香港和西贡的控制力量。可不是吗？它去西贡二百二十五浬，香港二百五十浬，因为距离上之特别接近，海南岛与香港间或海南岛与西贡间都存在着一种唇亡齿寒的关系。很明显地，假定第一敌人攻占海南岛，最使法国感到切肤之痛。海南岛介居于东京湾与广州湾之间，敌人在海南岛的海空军根据地一旦完成，则东京湾与广州湾的联系便立即被截断。东京湾与广州湾的联系失掉以后，则法国攀登大陆的阶梯亦无从发生作用，法国在太平洋的地位将因之发生动摇。所以前次日本企图进攻华南的声中，海南岛早就成为英法人士极注目的焦点。法政府与英国曾向日本发表共同申明：“如日军占领海南岛，势必引起国际纠纷；设此种纠纷不幸引起时，英法两政府当通力合作以应付环境。”法国对日本最近攻击海南岛的行动更认为不仅破坏一九〇七年《日法协定》，而且是违背日本政府自中日战争以来法国所提供的诺言，是有计划的威胁安南安全的行动。法国现下除与英国保持密切的联系外，并积极地在安南和广州湾准备自卫。

其次，海南岛悬上了太阳旗子，势必同时要惹起英国的惴惴不安。因为台湾的空军，无异于是香港门前一窠蜂巢，现在海南岛如亦军事化，则香港必又增加后顾之忧了。在台湾和海南岛前后夹攻的形势下，香港，不但本身的军事价值减低了许多，甚至它的军事作用将旁落到几等于零。而且英国的新加坡由于香港的价值丧失，声势大减，海南岛离新加坡仅一千一百余浬，新加坡亦将感受到威胁了。英国在远东和法国取绝对合作的行动，可见并非偶然的。武装的海南岛对荷印、婆罗洲、菲律宾及台湾都直接的或间接的发生军事战略作用和影响。这也是我们不可忽略了的。

七　南中国海的锁钥

南中国海是太平洋交通的重心区域，无论从内南洋到外南洋，或外南洋到内南洋，无论从欧洲到中国及日本或中国及日本到欧洲的船只，皆必以此为其必经之要道。沿南中国海唯一的雄厚根据地为新加坡，但新加坡僻处于海之南端，它虽有相当的制海权，然决无绝对的制海权。法国以两个三角形的战略形势卧于南中国海的腹心地带，可说是具备把握住这全海交通命脉的形势，不过提萨尔班克岛（Tizard Bank）及西沙群岛并不是大海军根据地，它们的力量能发挥到怎样的程度倒还成为问题。唯独海南岛适雄立于南中国海之西北角，扼南中国海的咽喉，握全海交通的锁钥。因为除了上述的各航线外，一些从美洲来远东及日本的航运，都是逃不出海南岛的监视线以外。

当我们讨论到荷属东印度时曾特别指出日本海外贸易的五大动脉，其中有三大动脉都寄托于南中国海方面的。这也就是说，日本对外贸易之半数以上的海运，均须经过南中国海，而经过南中国海，就没有不经过海南岛，海南岛握南中国海上交通的锁钥，亦即是握日本海外贸易的锁钥。贸易破坏战，为未来大战中最主要的节目，海南岛在这一节目内将必有惊人的成绩表现出来吧。

第十九章　太平洋苏联的军事战略地位

一　苏联在太平洋上国防的政略意义

叙述太平洋的军事地理，最后我们不要把悬在太平洋西北角的苏联的军事根据地忘记了。因为半欧半亚的苏联，由于国内近十年的社会主义建设成绩，于今已不但是欧洲列强之一，同时还是太平洋的巨头国家。她在太平洋方面虽然没有一个殖民地，没有一群属岛，可是她在远东区的国防建设，对于太平洋的军事形势当发生莫大直接的影响。若是以为几乎临近着北冰洋寒流一带而具有军事意义的地理可以抹杀不谈，那我们便无从认识到太平洋军事大势的全面。

军事是政治的一部分。军事战略的配备，只是为达到某种政治目的的手段。所以我们早认为研讨任何一国的军事根据地，首先应当了解那一国的军事根据地之政略意义。例如前面我们特别指出过的：美国对太平洋的政略目的侧重在贯彻“门户开放政策”，因此她在太平洋的根据地，便不仅有内防线及中央防线，甚至还有伸至南中国海的外防线了。反之，日本的国防，守势方面亦有内防线及中央防线，攻势方面又还有位于内南洋的外防线，这正因为日本的政略目的为“东亚门罗主义”，并独霸太平洋。其次如英、法、荷三国在太平洋所建立的根据地，亦无不充分表现含有其政治的意义在内。苏联在临近太平洋沿岸的国防建设政治意义如何？在这里我们首先说明如下。

谁都知道，现下苏联的内政外交有两大基本原则，即：（一）为由国内产业建设，脱离资本主义经济的羁绊独立之对内政策；（二）为拥护集体安全制以保卫集体和平之对外政策。世界各国对于苏联此两大原则之评价各不相同。法西斯的代言人认为苏联倡导的人民战线与拥护集体安全制所显现的和平政策，乃是为了隐瞒苏联意识形态与国际现实之矛盾，并非真正为了企求和平。苏联现行的和平政策只是一种适应备战时的政策。

一俟她社会主义的战时体制完成，苏联对资本主义的决战时期便立刻来到。这自然是绝对主观的企图中伤苏联的批判。其实站在客观来讲，苏联的国内建设事业纯然属乎她本身的内政问题，纵令社会理想和机构与资本主义国家的不一致，然而一国内社会主义的建设，对于全人类幸福，却有同样的贡献。苏联为求人类幸福，努力国内建设之故，渴求维持世界的和平与现状，渴求与世界各民主国家携手共同负起打破国际法西斯国家对现状之攻势之责任，树立和平的堡垒成为世界和平之有力的支柱，该是不可颠倒的事实吧。近几年苏联在远东的地位，已为世界各民主国家所重视且加以谅解。像美苏断了十六年的国交竟于一九三三年恢复，同年中苏邦交亦获得好调。自日、德、意三法西斯国家的勾结，英、法、美、苏的联系格外增进。自苏联的第一次宪法通过，苏联和世界各民主国家接近的机会更大。目下欧洲反侵略阵线之迈进，集体和平的范围且将扩展至远东，这些都是维系世界和平的重要因素。此种因素的诞生决非偶然的，而是苏联及其他各爱好和平的国家共同为和平而奋斗的成绩。我们了解苏联的基本国策系对内努力生产建设，对外拥护集体安全制度，则苏联在太平洋上国防的政略意义，也就不难完全了解了。

二 军事根据地的一般形势

基于和平的政略目的而有的苏联国防，当然是侧重在守势方面。她的每一个根据地，每一座要塞，每一行堡垒，都是准备着“与打击者以打击”，而不是为了侵略一寸土地，在这样意义下的苏联沿太平洋岸国防的一般形势，自然也完全是守势的。

地图指示给我们，苏联沿太平洋岸的军事根据地第一是海参崴（Vladivostok），它位于苏联滨海省的南端，是矗立在日本海北岸上的山坡。海参崴前面有罗斯基岛（Rusky），大彼得湾（Peter the Great Gulf）及金角港（Golden Horn）。大彼得湾深凡七十八到一百二十呎。金角港水浅而阔，深度约为三十到七十八呎。都能容汇巨舰。大彼得湾东面仅有亚美利加湾，为一航空根据地。金角港中则有大小岛屿颇多，它们不是潜水艇的掩蔽据点便是轻巡洋舰队寄碇的所在。这罗斯基岛、金角港及大彼得湾都临近着海参崴，担任着警戒海参崴正面的任务。

海参崴不仅建立了它正面的警戒线，而且还建立了它左右两侧的拱卫据点。如其西二百浬有波西埃特港（Possiet），这港的位置直当朝鲜入西伯利亚交通之冲；为苏联东部最南的军港。西北部有尼港，居黑龙江之口，为一重兵工厂的所在地。东北部则有苏维埃斯基（Sovietsky），亚力山大罗夫斯克（Alexandrovsk）及奥涯（Ayan）三个军港；苏维埃斯基港位于日属南库页岛的对岸，临近贝穆铁道的终点，它与东北的堪察加及西南的海参崴取着密切的联系，使自日属南库页岛或北库页岛以及日本千岛列岛的攻势遇到坚强的防御。亚力山大罗夫斯克港及奥涯港则位于北库页岛之西岸，距离海参崴较近，它们和苏维埃斯基港，于海参崴的呼应下，又共同的扼住了韃靼海峡（Gulf of Tartary）的咽喉。现下从伯力经马灵斯克、尼港横渡海峡以抵库页岛的航空支线，业已开辟。这条支线把上述的许多军事据点更紧凑地结成一团，使它们都成为海参崴的卫星。

苏联沿太平洋岸的重要的军事根据地除了海参崴外，其次则要算百特罗波罗甫斯克岛（Petropavlovsk）。

百特罗波罗甫斯克居堪察加的南端，它的亚飞克湾

（Avacka Bay）为苏联著名的天然军港。这个军港有约一哩宽阔的入口，有二重环绕着陆地的水面，小者的面积为直径六哩，成一圆形，大者的面积较广，亦类似圆形；二者的形势都极险要。范围益为广大，军港的深度颇高，绝无暗礁和沙滩，巨型舰队，可能游弋其间。诚不失为一大海军根据地。[1]

武装后的亚飞克湾固然在未来日苏海战时居重心的地位，就是在未来日美太平洋大战事，要亦成为最大决胜关键之一。它离日本的心脏部分只水路一六〇〇浬，航空一五〇〇哩，离日本迤北边境则不出二百哩，苏联的海空军从亚飞克湾直冲日本的北门千岛列岛，那是太轻而易举了。

就日美大战的形势观察，美国进攻日本的最捷径为北太平洋航路，从荷兰港到千岛列岛北端，约一七〇〇哩，从阿图港到千岛列岛更只有八百五十哩，这在战略上都可谓为最适于攻势的距离。不过在此捷径之间还隔着一个百特罗波罗甫斯克港，它的军事地位足以左右北太平洋的战局，若不是美国和苏联采取军事的协同动作，若不是美国能假道于亚飞克湾作为她海空军直捣日

[1] Denlinger&Gary：*War in the Pacific*，P.25.

本的桥梁，则太平洋大战的胜算，美国该还不一定有十分的把握吧。百特罗波罗甫斯克这个几乎不大令人注意的地理名词，我们应该牢牢记着，将来总有一天成为美国和苏联这两大和平的民主势力携手合作结成一个力量来打击侵略者的机遇点。

最后，苏联沿太平洋岸的军事根据地则是北部的堪察加。它的地理位置虽说僻处于靠近白令海峡的一角，可是因为苏联远东区空中交通的发达，堪察加与后方的远东区乃至与南面的百特罗波罗甫斯克岛的联系，仍然都是很紧凑的。堪察加和百特罗波罗甫斯克间可能发生前后卫的作用。由于这一作用的运用以及堪察加武装的近代化，堪察加不愧为苏联北门的锁钥。

三 远东区的人口及资源[1]

我们讨论到苏联的战略形势，最后还应当约略检

[1] 远东区的矿业及农业数字请参证：（一）平竹传三：《苏联经济地理》二八五——二九五页。商务译本。（二）Alcon Hirsch : *Industrialized Russia*, Ch. ix，The Chemical Catalog Com. New York.

讨一下苏联远东区方面的人口及资源。所谓远东区包括的领域，自北而南，计有突出于白令海峡的狄支那佛角（Deshnef C.）、堪察加半岛、北库页岛、鄂霍次克海岸及大陆部分——东海滨省（Maritime）、阿穆尔省（Amur）及萨巴尔喀尔斯喀亚（Zabalkal Skaya）等土地。远东区南与黑龙江、吉林、朝鲜接壤，形成苏联一千哩的陆上国境线，西南部与东西伯利亚连续；东北部则为蜿蜒一万浬的海岸，其东部海中的萨哈连岛，以北纬五十度又成为日苏海上的边界。总计面积广达三百万平方公里，约当苏联总幅员百分之一二点五。

远东区的人口率原极稀薄，经过近年的大量移殖，才达到二百万的数目。约为全苏联人口百分之一。平均每方公里有〇点六四人。其中种族多至四十二种。

远东区的人口虽然不多，然而资源的蕴藏却至为丰富。据精密的调查报告：南部亚耳特莫夫（Artemov）及北部桦太岛均富有石炭脉，埋藏量约为三〇亿吨。同时在乌尔加（Olga）煤的采掘工业从一九三四年即已开发了，它的铁矿埋藏量亦达五十亿吨。至于阿穆尔省的孛利亚（Bureya）更是著名不过的，它的煤藏量多至一千四百亿吨，铁藏量多至五亿吨，所以有人称它为乌拉尔的库兹乃斯克（Kuznetsk）；第二，可能成为发展远东区一切工业的基础。

其次，北部桦太岛的油田，海参崴附近一带的金属矿脉，如：金、白金、钼、氧化钨、硫磺及石棉等矿产，都显示出远东区新工业建设的希望。

远东区的农业资源因为受地形及气候条件的限制，一向不大发达。但自第一次改造的结果，其播种面积已增达一三〇万赫特。农产物以谷和小麦为大宗。其次森林面积亦约占一亿一千九百万赫特。

这远东区包括工业的农业的各种生产建设，当然无形中增厚了苏联沿太平洋岸的军事战略地位；使苏联成为太平洋国际的和平堡垒之一。

第二十章　海参崴

一　苏联的不冻港

读历史的人大都知道，俄国在沙皇时代的对外国策重心就是寻求不冻港口。当年帝俄所寻求的海上出路共有三个对象：（一）由黑海出地中海；（二）由中亚细亚出印度洋；（三）由远东出太平洋。但是要想插足于地中海或印度洋都直接的、间接的影响及英国的宝库，与英帝国发生绝大冲突，受到英帝国的掣肘和牵制。所以结果还是掉转头来回到太平洋岸开发自己的产业，建筑海参崴军港，而踏上当时比较清冷一点的太平洋海波。

海参崴以北纬四三度七秒，东经一三一度五五秒，避开了北冰洋的寒流。每年平均温度为华氏四十度，湾港经常保持着流动的状态。在沿岸一带，一年之中有七个月的不冻期，就在十二月至四月[1]的结冰期间，冰块亦不过于坚实，挡不了新式碎冰舰的威力，现下海参崴如有军事活动决不至再像一九〇五年所受到的天时限制。[2]

沙皇自决心将海参崴武装以后，便驱使几千万个农奴和罪犯，在冰天雪地的寒带，忍饥受饿，筑成一条全长五千余里的大铁道，把帝俄本部与海参崴紧紧地连接起来。海参崴于一九〇五年曾因牵制了日本进攻滨海省的计划，显现过它在战略上的重要意义，于一九一四年因德奥同盟军封锁了俄国的西方港口，成为帝俄在远东的唯一运输路线，它在经济上又开过繁荣的花朵。但是一九一七年的大革命带给了海参崴一度的破坏。接着协约国的进攻，使海参崴的繁荣化为乌有。迨革命的势力粉碎了日本所收买的旧俄军阀谢米诺夫在西伯利亚树立的傀儡政权，使盘踞海参崴五年之久的日本军阀渐感到寒带的气流非常可畏，于一九二二年缔结日俄协定退出

[1] *Encyclopedia Britannic*，Vol.28，P.171-172.

[2] 一九〇四年日俄战役俄驻海参崴的巡洋舰队在冰解以前，竟完全失去活动能力。

海参崴，于是海参崴便在社会主义积极建设下，已不是当年沙皇的侵略外府，而是新苏联维护集体安全的军事堡垒。

二　海参崴的新面目

海参崴是帝俄的遗产，军事建设原有相当成绩。但因为日军一度占领，工事完全毁坏。海参崴设防的新面目，则是新社会主义建设的创作成绩。

海参崴是苏联的海军根据地同时还是远东区空防的中心。在海军方面，据专家估计，[1]海参崴洋面所有的潜水艇，多至一百四十五艘。在金角港及俄罗斯岛附近，便是潜水艇根据地，那里驻在的舰队完全属于五百吨级潜水艇和七百吨级的水雷艇。苏联固然不是海军强国，但为了抵御侵略，她已在倾全力的扩张海军。海参崴洋面已有苏联最新式的舰队游弋了。两座重约六千吨的大海军浮坞，迅速完成了。空军方面，在海参崴市四周的山岭，森林密集，它们不但是要塞和炮垒的天然隐蔽，

[1] Gregory Bianstock：*The Struggle for the Pacific*，Ch. Ⅲ.

它们阔大的洞穴更是飞机及机械库的秘密的好所在。海参崴大规模的陆上飞行场多至数十个。海参崴附近大彼得湾东之亚美利加湾更筑有水上的空军根据地。离海参崴很近的苏昌斯克（Suchansk）的电力厂，能发出六万基罗瓦特的电流，很便利地使海参崴的防御工程摩托化。海参崴的交通工具，有无线电、海底电线及自动电话。市内的铁道业已加宽，十哩长的军用隧道亦已筑成。以海参崴为中心的空中交通，外可通日本各埠及中国的上海，内可使库页岛及堪察加缩小一团。

苏联远东区工业主要区域有四:（一）孛利亚，（二）考苏木立斯克（Komsomolsk），（三）彼得洛夫斯克（Petrovsk）及（四）阿恩戛拉（Angara）。孛利亚位于阿穆尔省的孛利亚河畔，以前讲过是理想中的库兹乃斯克第二。考苏木立斯克在伯力（Khabarovsk）以北三百六十公里，是沿黑龙江上规模极大的军需工业地带，这里有兵工厂、飞机制造厂、造船厂及汽车厂。目下它与伯力、海参崴间既有铁道和公路，还有空间的联络线。阿恩戛拉是水力发电的总汇。因为阿恩戛拉河为叶尼塞河的支流，通贝加尔湖，利用湖口的水力发电，其发电力遂占全苏联所有水力发电动力百分之四六。阿恩戛区另有铁矿埋藏量七亿五千万吨，煤二千五百亿吨，此种资源之集体运用，使伊尔库次克（Irkutsk）成为战斗主体之七至十一吨的战车，二至四吨及特种突阵用的四十吨左右的战车，单叶式的并速度每小时四百公里的驱逐机等的制造厂。最后彼得洛夫斯克位于黑龙江以北，左近富有煤铁矿，亦远东区军事工业的重心。这些邻近海参崴的军事工业建设，当然直接增强了海参崴的战略作用，表现出海参崴配备充实的武装具有一种特殊的新面目。

三　苏联的安特维蒲

我们检讨日本军事地理一般的形势时，曾指出它有一个弱点，就是苏联的海参崴以伸出日本海的姿态，隔断了满洲与日本海的联络，直如一柄刀的刀尖猛刺着日本的胸膛。我们将海参崴比作刀尖，原有其地理的根据的。从地图上一看便知，苏联的西伯利亚大铁道线，本来是从西部直泻千里地向东而下，但一到滨海省的乌苏里附近，这铁道线便急峭地折向南面，使这一带的海岸，宛若一柄刀的形状，而海参崴正位于西伯利亚铁道之终点，滨海省海岸的极南端，便好似这柄刀的刀尖了。

日本自从夺取了朝鲜半岛，于日本海西岸，立定了强固的脚跟，于是东、西、南三面把日本海紧密地包围，几乎使日本海成为她的内湖，但是可惜朝鲜半岛北岸仅止于罗津及基雄两港，更北一带还是苏联的领土。苏联滨海省的南部与朝鲜半岛的北部都夹在满洲及日本海之间，它们这带形的两条土地，活像两只有力的臂膀在那里进行着角斗。最明白不过，在它们角斗胜负尚未分晓的现阶段中，日本海究竟还是一个国际的海，而不是日本的内湖。

日本海没有成为日本的内湖，东方的侵略者总认为是她军事上一大缺憾，这个缺憾的补起，便只有截断伸向日本海的苏联的臂膀，即夺取海参崴。然而海参崴毕竟还飘扬着红旗，属于苏联的根据地。它的坚强的海军及空军随时可能打击侵略者。一点也不错，若是把海参崴比作安特维蒲（Antwerp），战略上欧洲的安特维蒲是指向着英国的一只手枪，远东的海参崴则是指向着日本的一柄刀尖。

四　渐减作战的根据地

据一般军事家的观察，假定在日苏战争的场合，日本最有利的战略为速战速决。因为经济上有许多理由务必使日本对苏联作战最好系采取大规模的攻势战，迅速地消灭对方的主力，达到很快占领对方领土的目的。反之，同样有许多经济的理由，却决定苏联利于持久战及消耗战，第一着创伤敌人进攻的意志，疲劳敌人的作战力，而后再从事大规模的阵地战，一举而歼灭敌人，以获取终极的胜利。所以苏联最好的战略则是渐减作战的战略，而海参崴即苏联采取此种有利战略的主要根据地。

因为日本企图实现其速战速决，她理想中的战场乃在贝加尔湖以东的区域（Baikal Lake）。贝加尔湖区虽然是阻止东方军队前进的有效障碍物，但同时也是阻止西方军队反攻的天险，只要能占领了这一区域，日本军事便获有决定的胜利。在这一胜利下，贝加尔湖以东的领土，即布里雅忒蒙古社会主义苏维埃共和国（B.M.S.S.R.）将变为大亚细亚主义下的傀儡政府。

但是以贝加尔湖区为日苏战争的最初战场究竟是日本的理想。苏联会不会一战就白白放弃千哩的土地，退到属中亚细亚山脉系的后方？尽管这个山岳地带的后方恰好是打游击的神秘所在，苏联军队利用雅布罗络山脉（Yablonoi）实施其独出心裁的游击战略，可能疲倦敌人的战斗力，可能使敌人的脚跟尚未站稳前立刻发生动摇，可是说苏联一开始就退到这一后方防线，却又不然。因为苏联最初固然不致中日本的奸计来和敌人发生主力的决战，但最低限度，苏联务必要使敌人欲占一寸土地，必付十倍的代价，纠缠敌人，消耗敌力，于到达决战场所前，在满鲜边境及沿海一带，特别在海参崴，苏联将必实行大规模的后卫战。

进攻贝加尔湖区的战略线，除由外蒙侧面一线外，则有：（一）北自堪察加沿鄂霍次克海岸向南经库页岛至黑龙江口以迄海参崴；（二）自图们江北经绥芬河、兴凯湖沿乌苏里江直抵伯力；（三）自伯力向西溯黑龙江经同江达黑河；（四）自黑河达满洲里；（五）自满洲里经呼伦贝尔湖、索伦以至热河及察哈尔北境。以上五条战略线，就有后四条都托庇在图们江、乌苏里江乃至黑龙江诸大天险之屏障内，受到敌人进袭的可能性非常之少。危险性比较大的，只是苏联和朝鲜边境的一线。朝鲜北部，日本最近筑有清津、基雄及罗津三大要港，为准备对苏作战的军事集中区域之一，它们的任务在协助日本海的海军夺取海参崴及库页岛，逼苏联军队向贝加尔湖以北撤退。但是海参崴有坚强的工事，无异于一座铁壁，决不会一攻而破的。它的海陆空军将使苏联实现其渐减作战战略，达到最后的胜利。

五　迂回式战略的突破

一九三一年“九·一八”日军进占沈阳，接着在满洲建立了傀儡政权，控制我国东北的军事，日本和苏联间的军事形势顿起变化了。以前有如两只有力的臂膀夹在日本海及满洲中间进行角斗，现在则无异日军以突跃的姿势，一手压住滨海省的腹部。日本在满洲所建的北安至黑龙江的铁道与在朝鲜所建的基雄至罗津的铁道简直形成对海参崴的包抄形势。尤其自苏联出售中东路与伪满以后，日军势力乃伸展至满洲里，若由此挺进一步，西伯利亚铁道和乌苏里铁道相互间的联络便横被截断，滨海省的命运结果是握在日本的手中。日本对苏联用兵的军事集中区域的兴安岭及黑龙江是一带天险。它虽然负有掠取海兰泡及伯力的任务，但是这一任务并不容易完成。因为这种原故，日本进攻苏联，要想把红军驱至贝加尔湖以北，有人断定日本也许不会从正面用兵求实现她的计划，而要采取侧面的、迂回式的袭击来完成她的理想。这个侧击的路线乃是由察哈尔、热河，[1]经库伦攻取赤塔直捣贝加尔湖区，使苏联前线与后方失掉联络，以大军拊海参崴之背，使海参崴不攻而自下。但是即使日本的阴谋可能成功，海参崴的军事价值并不会因之降低；恰恰相反，它的地位倒因之显现得格外重要。

伟大的交通建设，促进了日本采迂回包抄战略以进攻苏联的便利，但同时也加强了苏联海参崴军事活跃的

[1] 日本在我国东北建有从朝阳至承德，朝阳至赤峰的铁道，并建有不下五万公里的公路网，飞行场五十以上。现下龙山及热河已划为日本军事第三集中区，负有掠取赤塔及伊尔库次克的任务。

威力。今日苏联在远东区不但筑有西伯利亚大铁道，而且于此铁道干线之外，还另敷设了两条主要的支线，其一从贝加尔湖北部台西特（Taishet）向东直达庙街附近库苏穆尔斯克；其二从库苏穆尔斯克到伯力。它们与外贝加尔、阿穆尔及乌苏里铁道线（Baikal-Amur Magister Line）构成一个三角形。用战略的话来解释，假若贝加尔湖到伯力的铁道线，即贝加尔以东的交通被切断了，苏联还有贝加尔以西的交通可资利用，以直达库苏穆尔斯克转伯力获抵海参崴。这说明了不但日军攻取海参崴的后方，逼海参崴成为一个死港的企图将徒劳无功，甚至海参崴在充分设防的条件下，还能以踏进的雄姿，策应着凭山依险的游击队伍，向日军的后方进攻；海参崴不但突破了敌人的迂回包抄战略，甚至还能以同样的战略包抄敌人，与深入后方的敌人以歼灭。

六　海参崴的潜艇

潜水艇要算苏联海军的特色。驻海参崴的潜艇舰队活动于日本海面尤占有四大地理的优势，即：（一）日本海面积窄狭，潜水艇容易纵横于日本海全面。例如由海参崴往宗谷海峡为五百哩，津轻海峡为五百哩，对马海峡为六百五十哩。这就是说：海参崴的潜艇要破坏日本海上任何军事交通孔道，最远的需时不过三日，最近的则只要十小时（以每小时水面行十五哩，水底行十哩计算）即可达到。（二）附近海参崴的日本海海面，每年有三分一的时间为浓雾笼罩着，而漫天的白雾不啻是潜水艇活动时的天然烟幕。（三）对马海峡一带多暖流，暖流可能代替燃料，增强电力，一面避免消耗水底最珍贵的氧气，一面保全行驶海底的持久率。（四）对马海峡还多飓风，一年四分一期间的飓风，能影响船只的航运，但无从影响潜艇的游弋。今日潜艇深入海底四百呎以下是极平常的事，而飓风下的浪头最高者不过数十呎，是在水底百呎以下的潜水艇，不仅丝毫不会受到浪涛的恶影响，而且甚至能利用高高的浪头对颠簸的船只加以突击，不露一点踪迹。有了上述的四个地理优势，海参崴的潜艇，据专家估计[1]可能进窥日本海上的间宫海峡、宗谷海峡、津轻海峡、下关及豫丰海峡以及对马

[1] Gregory Bianstock：*The Struggle for the Pacific*，Ch. Ⅲ.

海峡。

间宫海峡为日本重要交通枢纽之一。无论由黑龙江三角洲进攻西伯利亚或绕道该海峡接济朝鲜及南满日军的辎重，都以此为必经之道。海参崴的潜艇出没于这一带所给予日军的打击当不难想像得到的。

宗谷海峡位于库页岛南面，阔三十哩，深一百五十呎至二百呎，更是潜艇潜聚的好所在。海参崴的潜艇通过宗谷海峡，足以策应百特罗波罗甫斯克港的海空军，阻止日军由千岛列岛北袭堪察加，保障堪察加的安全。

津轻海峡的防备较为坚固。峡之两端，要塞林立。峡内广阔达三十哩，有潜艇根据地，满布水中听音机。但是因为过于广阔，入口处达十哩，深一百至六百呎，全长七十五哩，红色潜艇若偷渡而入，则一九〇五年海参崴的巡洋舰曾由此入太平洋，直扑东京湾的旧剧，又曷尝不致重演呢？

下关及豫丰两海峡，地势险要。如下关前有一岛，水面为之收缩仅及一哩，海防又特别严密，欲图偷过，谈何容易。不过海参崴的潜艇必要时若以冒险的精神和敏捷的行动，亦可能给日本海军以打击。

最后对马海峡可谓为未来日俄海战的主要区域。对马岛分两条水道，各阔二十五哩，西水道深二百至六百呎，东水道深三百至四百呎，有坚强的设防和潜艇根据地，佐世保军港又在左近保护，诚一不可侵犯的据点。但依据欧战的经验，当年佛克斯敦（Folkestone）及格尼季角（Cape Griznez）两交通线的防御工程总算周密，有水雷网、水雷驱逐舰、探海灯及空中侦察，可是德奥的潜艇依然出没其间。何况它们的深度只一百至百五十呎而对马海面有时竟达一万呎之深呢?

据欧战的估计，德国潜艇只用了百分之十的力量得完成百分之八十的破坏工作。海参崴的潜艇多至一百四十五只，但要有十五只能集中威力，则任何巨型的母舰及其他舰队就无法驶近海参崴海面的警戒线内，甚至防线以外的活动，也都时刻会遇到它们的限制和威胁。

七　空军的威力

以海参崴为中心的远东区航空网已建立得异常周密了。这个大航空网计分两大干线：（一）自莫斯科循大铁道向东经伊尔库次克、贝加尔湖、屋丁斯克、伯力以抵海参崴；（二）自屋丁斯克（Werchne Udinsk）南飞以抵库伦。第一条干线有四条支线，其中两条可达太平洋沿岸，即一由伯力至库页岛，一由伯力至堪察加，并伸至白令海峡，可能与阿拉斯加相衔接。这一航空支线，事实可能强化海参崴的后卫力量。

其次，就攻势方面分析，苏联因为海参崴的存在，红色空军可能于四小时内轰炸日本的心脏地带。海参崴离东京不过七百浬，罗津一百五十浬，若以一千一百公里为半径，则日本所有的中心城市，如朝鲜各港、大连、满洲伪国、哈尔滨、东京、大阪、神户，以及横须贺等则都不能出此飞行半径之外。日本本部北自北海道南迄九州，都市都位于海滨，人口密集，房屋比栉，正是空军最好的目标。海参崴的空军威力真叫日本侵略者不能不有所顾虑，真叫日本侵略者不能不为之战栗！

中英地名对照表

Adelaide	亚得来港
Adak Is.	亚德克岛
Agana	亚干罗
Aleutian Is.	阿留申群岛
Alexandrovsk	亚力山大罗夫斯克
Alajuela	阿拉佐拉
Amelia Is.	亚米尼亚岛
Amur	阿穆尔
Apra	阿勃拉
Arena	亚内纳
Arafura Sea	亚拉佛拉海
Artemov	亚耳特莫夫
Auckland	奥克兰

Andreanof	亚都诺夫
Angaur Harbour	安格尔港
Avacka	亚飞克湾
Attu	阿图岛
Ayan	奥涯港
Baker Is.	培克群岛
Baikal Lake	贝加尔湖
Balboa	巴尔玻亚
Banda Sea	班达海
Batan Is.	巴坦岛
Beagle Channel	贝钩尔峡
Bengale	彭加尔湾
Bering Sea	白令海
Birnie	比尔来岛
Baltic Sea	波罗的海
Bonin Is.	波宁群岛
B. M. S. S. R.	布里雅忒蒙古社会主义苏维埃共和国
Bremerton	布列马登

Brisbane	布列士帮
Broken Hill	破山
Bureya	孛利亚
Canton	康东岛
Camarine Sur	苏尔
Cam Ranh	黔兰
Cambodia	柬埔寨
Cape Horn	合恩角
Cape Virgins	童贞角
Cape York	约克角
California	加利佛尼亚
Captain Bay	舰长湾
Cavite	卡比特
Chile	智利
Celebes Sea	西里伯海
Cockburn	科克巴峡
Colombia	科伦比亚
Colon Bay	科龙湾
Costa Rica	哥斯德黎加

Cordova	各多哇
Costantinopoli	君士坦丁堡
Corn Is.	卡恩岛
Corregidor Is.	科锐及多岛
Christmas Is.	圣诞岛
Coronel	卡渊雷尔
Cochin China	交趾支那
Cape Griznez	格尼季角
Dardanelles	鞑靼尼尔
Desolation Is.	孤立岛
Dover Str.	达非海峡
Dutch Harbour	荷兰港
Deshnef C.	狄支那佛角
Derby	德倍
Enderbury	爱德保岛
Eneweton	爱纳威顿
Fox	法克斯群岛
Figi Is.	非支群岛
Fitton Bay	菲吨湾

Flandres	弗兰多尔
Flamenco	佛兰门科
Frementle	佛内门特港
Fuego	火地岛
French Establishments in Oceanic	法属海洋洲诸岛
Folkestone	佛克斯敦
Futuna & Alof	佛脱那与亚利福岛
Gardner	加拉尔岛
Gambier Is.	干俾尔群岛
Golden Horn	金角港
Golden Gate	金门海峡
Guam	关岛
Geyland	借兰
Gulf of Tartary	鞑靼海峡
Gulf of San Francisco	旧金山湾
Gulf of Alaska	阿拉斯加湾
Gulf of Fonseca	丰色加湾
Hawaii	夏威夷
Honduras	洪都拉斯

Honolulu	火奴鲁鲁
Huon Is.	胡翁群岛
Iliuliuk Bay	易尼留克湾
Ireland	爱尔兰
Jarvis	查维斯岛
Java Sea	爪哇海
Kauai	卡亚
Kizhuyak	金诗亚克湾
Kodiak Is.	科德克岛
Kra Canal	克拉运河
Kusaie	库赛岛
Komsomolsk	考苏木立斯克
Kuznetsk	库兹乃斯克
Khabarovsk	伯力
Laos	老挝
Lanai	莱雷
Latin America	拉丁美洲
Lancashire	兰开夏
Los Angeles	碌安机尔

Leeward Is.	尼瓦特群岛
Legaspi	利格士比
Limon Bay	黎蒙湾
Liverpool	利物浦
Loyaty Is.	罗雅特群岛
Port Lloyd	劳易港
Luzon	吕宋
Magellan Str.	麦哲伦海峡
Marshall	马雪尔
Manila	马尼拉
Maui	麻鱼
Mariana	玛利安纳
Margarita Is.	麦吉内脱岛
Macasar Str.	马加撒海峡
Melbourne	麦尔钵
Mckean	墨金岛
Midway	中途岛
Molokai	木罗卡
Maritime	东海滨省

Makatea	马卡梯亚岛
Marinsk	马灵斯克
Marquesas Is.	马贵斯群岛
Mindanao	门达内俄
New Caledonia	新喀里多尼亚
New Hebrides Is.	新赫布尼底群岛
Near	尼尔群岛
Naos	雷阿思
New South Wells	新南韦尔士
Navarin Is.	拉发宁岛
New Britain	新不列颠
New Guinea	新几内亚
Okhotsk	鄂霍次克港
Ostend	奥斯提得
Oahu	阿胡
Palawan	帛卢按岛
Pago Pago	旁哥旁哥
Pamirs	帕米尔高原
Pearl Harbour	珍珠港

Peale Is.	皮尔岛
Persian Gulf	波斯湾
Peter the Great Gulf	大彼得湾
Paracel Is.	西沙群岛
Petropavlovsk	百特罗波罗甫斯克
Petrovsk	彼得洛夫斯克
Pratas Is.	普拉泰斯群岛
Possiet	波西埃特港
Isle Pines	派因兹岛
Ponape	波雷勃
Puget Sound	皮基沙特湾
Parry	贝勒岛
Phoenix Is.	费匿克思群岛
Philadelphia	费城
Punta Arenas	沙角
Queensland	昆士兰
Rat Is.	锐帝群岛
Rapa Is.	拉巴群岛
Rusky	罗斯基岛

Rhine River	莱茵河
San Diego	桑特古
Samoa	萨摩亚
Saipan	散奔
Sakhalin	库页岛
Sarawak	塞锐韦克
Savaii	沙发伊
Mt. Santa Rosa	圣塔罗沙山
San Juan River	圣佐安河
Seattle	西雅图
Smith Str.	史密士峡
Suez Canal	苏彝士运河
St. Paul Is.	圣保罗岛
Sunda Sea	巽他海
Sitka Sound	西提加军港
Surigao	苏利哥
Solomon Is.	沙罗门群岛
Siberia	西伯利亚
Sydney	悉尼

Sovietsky	苏维埃斯基港
Suchansk	苏昌斯克
Taishet	台西特
Tawitawi	大卫大卫
Tahiti	大赫的岛
Tanmotu Group	大莫土群岛
Tourane Bay	头兰湾
Tizard Bank	提萨尔班克群岛
Ton King	东京湾
Tubuai Is.	图部爱群岛
Toro Point	陀渊海岬
Timor	渧汶岛
Torres Str.	托列斯海峡
Tanga Is.	东加群岛
Turkestan	土耳其斯坦
Tutunila	突突尼拉
Umata	乌麻达湾
Upolu	乌波罗岛
Valparaiso	范伯内索

Victoria	维多利亚
Victoria Cape	维多利亚角
Watje	吴季
Wake Is.	威克岛
Wickes	菲克思岛
Werchne Udinsk	屋丁斯克
Wallis Archipelago	瓦利斯群岛
Yablonoi	雅布罗络山脉
Yap	雅浦岛
Zabalkal Skaya	萨巴尔喀尔斯喀亚
Zambales	仓贝山尔山
Zamboanga	三宝加
Zeebruge	直布罗治

三联经典文库第二辑简目

《游击战教程》　明凡 / 著

《游击战术纲要》　陶剑青 / 编著

《汪精卫卖国的理论与实践》　钱俊瑞 / 著

《抗战以来》　韬奋 / 著

《陕行纪实》　楚云 / 著

《随军散记》　沙汀 / 著

《被日寇囚系半载记》　王研石 / 著

《倭营历险记》　房沧浪 / 著

《活跃的新西北》　田影 / 编著

《保卫华北的游击战》　刘清扬　陈北鸥等 / 著

《徐州突围》　《徐州突围》编委会 / 编

《沦亡的平津》　长江　小方等 / 著

《淞沪火线上》　胡兰畦等 / 著

《瞻回东战场》　长江　罗平 / 著

《东线的撤退》　胡兰畦等 / 著

《抗战中的西北》　徐盈 / 著

《鲁闽风云》　徐盈等 / 著

《西线生活》　西北战地服务团集体创作

《中国解放区见闻》　［美］福尔曼著 / 朱进译

《全面抗战论》　潘汉年 / 著

《日本的间谍》　范士白自述 / 尊闻译

《日本大陆政策的真面目》　国难资料编辑社 / 编

《民众动员论》　李公朴 / 著

《中国外交史》　钱亦石 / 编著

《太平洋军事地理》　蒋震华 / 著

《世界经济地理讲话》　思慕 / 著

《列强军力论》　［德］马克斯·威纳尔著 / 宾符　仲持　梅益等译

《近代国际关系史》　张铁生 / 著

《太平洋现势手册》　沈志远　石啸冲 / 编著

《近代世界政治史》　钱亦石 / 著

《从战争到和平——一九四五年的世界政治》　乔木 / 著

《战后日本问题》　思慕 / 著

《最近一年间的国际动态（1946.7–1947.6）》　《东北日报》社 / 编

《论政党》　翟放 / 著

《法与宪法》　韩幽桐 / 编著

《中华民国宪法刍议》　罗家衡 / 著

《民主·宪法·人权——作之民》　费孝通 / 著

《宪法论初步》　潘念之 / 著

《对反民主的抗争》　韬奋 / 著

《农村改进的理论与实际》　江恒源 / 著

《上海产业与上海职工》（上下）　朱邦兴　胡林阁　徐声 / 合编

《陶行知教育论文选辑》　陶行知著 / 方与严编

《中国通货膨胀论》　杨培新 / 著

《中国及其未完成的革命》　H・普拉特著 / 蒋天佐译

《中国的建设问题与人的训练》　卢作孚 / 著

《论中国特殊性及其他》　艾思奇 / 著

《中国经济问题讲话》　钱俊瑞　徐雪寒　王渔邨　姜君辰　骆耕漠 / 合著

《中国经济的道路》　许涤新 / 著

《中国财政之病态及其批判》　孙怀仁 / 著

《官僚资本论》　许涤新 / 著

《五四运动之史的评价》　陈端志 / 著

《中国通史简编》（上下）　中国历史研究会　范文澜 / 主编

《论文学的工农兵方向——读〈在延安文艺座谈会上的讲话〉》　雪苇 / 著

《中国近代史（上编　第一分册）》　武波 / 编著

《文学百题》　傅东华 / 编

《中国史学之进化》　周谷城 / 著

《论民族形式问题》　胡风 / 著

《论批评》　荃麟等 / 著

《中国史纲》（第一卷上下、第二卷上下）　翦伯赞 / 著

《近代中国思想学说史》（1–4）　侯外庐 / 著

《中国政治思想史》（上下）　吕振羽 / 著

《中国哲学史纲要》　向林冰 / 著

《中国政治史讲话》　钱亦石 / 著

《中国社会经济史纲》　王渔邨 / 著

《新财政学大纲》　千家驹 / 著

《太平天国革命运动论文集——金田起义百周年纪念》

华北大学历史研究室 / 编

《理性与自由——文化思想批评论文集》　胡绳 / 著

《战斗者的诗人》　黄药眠 / 著

《国语文法》　曹朴 / 著

《教育哲学》　张栗原 / 著

《妇女问题讲话》　杜君慧 / 著

《婚姻 · 子女 · 继承》　沙千里 / 著

《性教育新论》　布士克　雅各生合著 / 董秋斯译

《狱中杂感》　杜重远 / 著

《七人之狱》　沙千里 / 著

《爱迪生传》　伍况甫 / 译

《歌德自传》（上下）　歌德著 / 思慕译

《尼赫鲁自传》　［印度］尼赫鲁著 / 毕来译

《列宁传》　［苏］凯尔任采夫著 / 企程　朔望译

《罗斯福总统传》　C. Mackenzie 著 / 张尚之译

《托尔斯泰传》（1–3）　［英］阿尔麦 · 莫德著 / 徐迟译

《革命文豪高尔基》　［美］亚历山大·康恩著／韬奋编译

《鲁迅纪念特辑》　新中国文艺社／编

《回忆鲁迅先生》　萧红／著

《人民文豪鲁迅》　平心／著

《亡友鲁迅印象记》　许寿裳／著

《鲁迅思想研究》　何干之／著

《鲁迅研究》　夏征农／编

《过来的时代：鲁迅论及其他》　雪峰／著

《电影戏剧表演术》　洪深／著

《日常心理漫谈》　［美］约瑟夫·查斯特罗著／曾宝施译

《心理常识漫话》　朱智贤　杨云美／著

《读书的方法与经验》　王任叔／著

《美国黑人生活纪实》　［美］加德维尔　斯坦倍克著／董秋斯译

《初访美国》　费孝通／著

《事业与成功》　［美］马尔腾著／汪原放译

《萍踪寄语（初集）》　韬奋／著

《一生的幸福前途——〈生活周刊〉信箱选集》　生活书店／编选

《深刻的印象》　生活周刊社／编

《海外的感受》　生活书店编译所／编

ISBN 978-7-108-04650-5

9 787108 046505 >

定价：42.00元